TERAPIA FLORAL DO DR. BACH
Teoria e Prática

MECHTHILD SCHEFFER

TERAPIA FLORAL DO DR. BACH
Teoria e Prática

Tradução
OCTAVIO MENDES CAJADO

Editora
Pensamento
SÃO PAULO

Título original: *Die Bach Blüthentherapie – Theorie und Praxis*.

Copyright © 1981 Heinrich Hugendubel Verlag, Munique.

Copyright da edição brasileira © 1991 Editora Pensamento-Cultrix Ltda.

1ª edição 1991.

19ª reimpressão 2021.

Todos os direitos reservados. Nenhuma parte deste livro pode ser reproduzida ou usada de qualquer forma ou por qualquer meio, eletrônico ou mecânico, inclusive fotocópias, gravações ou sistema de armazenamento em banco de dados, sem permissão por escrito, exceto nos casos de trechos curtos citados em resenhas críticas ou artigos de revistas.

A Editora Pensamento não se responsabiliza por eventuais mudanças ocorridas nos endereços convencionais ou eletrônicos citados neste livro.

Direitos de tradução para a língua portuguesa
adquiridos com exclusividade pela
EDITORA PENSAMENTO-CULTRIX LTDA.
Rua Dr. Mário Vicente, 368 – 04270-000 – São Paulo, SP – Fone: (11) 2066-9000
E-mail: atendimento@editorapensamento.com.br
http://www.editorapensamento.com.br
que se reserva a propriedade literária desta tradução.
Foi feito o depósito legal.

Sumário

Introdução 7

1. Os remédios florais do Dr. Bach — Um enfoque holístico do tratamento 9
2. Como funcionam os remédios? — Uma interpretação possível 12
3. Como encontrar o remédio certo 26
4. As 38 flores do Dr. Bach 34
5. Os remédios na prática 204
6. Experiências no tratamento 208
7. Questionário compacto para autodeterminação da combinação de essências florais do Dr. Bach, apropriada para você 218

Leitura adicional 229
Endereços úteis 230

A referência à floração das árvores e plantas aqui mencionadas leva em conta, naturalmente, a ocorrência da primavera no hemisfério norte: 21 de março a 22 de junho.

Introdução

Este livro foi escrito originalmente a pedido e por sugestão dos meus pacientes e colegas nos países de língua alemã, desejosos de saber mais a respeito da Terapia Floral do Dr. Bach. Baseia-se em quatorze anos de extensas experiências com os Remédios Florais do Dr. Bach, assim como numa avaliação da literatura disponível sobre o assunto.

Era desejo do homem que descobriu o método, o médico de Harley Street, Dr. Edward Bach, que esta forma de cura por meio de flores silvestres fosse acessível não só aos médicos profissionais mas também a pessoas leigas, sem nenhum adestramento médico.

As trinta e oito flores são descritas em profundidade, de modo que os pacientes que tomam uma delas ganham também uma compreensão adicional do conceito fundamental em cada caso, a fim de fortalecer o processo de autocura.

É importante advertir a todos os leitores sem prática da medicina, que os Remédios Florais do Dr. Bach podem ser usados para prevenir doenças psicológicas e físicas e apoiar um tratamento prescrito, mas não podem ser usados para substituir o tratamento receitado por um médico profissional qualificado.

A autora gostaria de expressar sua gratidão a todas as pessoas que contribuíram, em nossa terra e no estrangeiro, para a redação deste livro, e particularmente também à cooperação e apoio recebidos do *Bach Centre* da Inglaterra, o único lugar em que os Remédios Florais do Dr.

Bach ainda são preparados com flores silvestres, utilizando as mesmas localizações e métodos originais que o Dr. Edward Bach descobriu há mais de cinqüenta anos.

Mechthild Scheffer
Hamburgo, 1986

Capítulo 1
OS REMÉDIOS FLORAIS DO DR. BACH
Um enfoque holístico do tratamento

"A doença é única e puramente corretiva; nem vingativa nem cruel, é o meio adotado pelas nossas próprias almas para mostrar-nos os nossos erros, impedir-nos de cometer erros maiores, obstar a que façamos mais mal e trazer-nos de volta ao caminho da Verdade e da Luz, do qual nunca deveríamos ter saído."

A eterna realidade desta afirmação, feita pelo médico inglês Dr. Edward Bach há mais de cinqüenta anos, está sendo cada vez mais compreendida nestes tempos da "Nova Era" da medicina "humanizada", "psicossomática" e "holística", e o interesse internacional pelos Remédios Florais do Dr. Bach tem sido acentuadamente renovado nos últimos anos, como o predisse, de uma feita, o próprio Dr. Bach.

O enfoque holístico da saúde, da doença e da cura baseia-se no conceito da perfeita Unidade de todas as coisas, e da total Unicidade de todo sistema contido em seu interior. Cada um de nós está realizando uma jornada única que não pode repetir-se durante a vida, e o nosso estado de saúde, a qualquer momento, serve de indicador do ponto que atingimos nessa jornada.

Cada sintoma, seja do corpo, da mente ou do espírito, nos transmite uma mensagem particular, que precisamos perceber e reconhecer, fazendo uso delas em nossa jornada. Todo processo verdadeiro de cura é uma afirmação da nossa totalidade e, de fato, da nossa santidade. Desse ponto de vista, o sistema dos Remédios Florais do Dr. Bach pode ser descrito como "a cura pela restauração da harmonia na percepção". Nos pontos de mudança de chave da nossa personalidade, onde as energias vitais são canalizadas de modo errado ou bloqueadas, os remédios restabelecem contato e harmonia com a nossa totalidade, a nossa verdadeira fonte de energia.

"Cura-te a ti mesmo" está no próprio âmago da filosofia de Edward Bach, pois, em última instância, nós mesmos, o "princípio universal da cura" ou o "divino poder de cura" existente dentro de nós, permitimos e possibilitamos a cura. Na visão do Dr. Bach, os seus Remédios Florais seriam usados, não apenas pelos médicos e praticantes leigos, mas também em cada família.

Dessa maneira, as Flores do Dr. Bach seriam usadas não só por profissionais no tratamento de desordens psicossomáticas, como também por um número cada vez maior de pessoas que trabalham conscientemente pelo seu crescimento e desenvolvimento mental e espiritual.

Os Remédios Florais do Dr. Bach figuram entre os métodos "sutis" de cura, semelhantes à homeopatia clássica de Samuel Hahnemann, à medicina antroposófica, e à medicina espagírica ou herbácea. Eles não atuam pelo caminho indireto, via corpo físico, mas em níveis mais sutis, que influem diretamente no sistema de energia que é o homem.

Antes de desenvolver os seus Remédios Florais, Edward Bach, bacharel em medicina, bacharel em cirurgia, ciências, diplomado em saúde pública, era um bacteriologista e médico homeopata de grande sucesso.* Ele sentia ter um elo espiritual, entre outros, com Hipócrates, Paracelso e Samuel Hahnemann, partilhando-lhes da concepção de que "Não existem doenças, existem doentes". Entretanto, teríamos dele e do seu trabalho uma visão demasiado estreita se lhe chamássemos o "Hahnemann atual", como o têm feito colegas contemporâneos.

Em 1930, o Dr. Bach, que tinha então 43 anos de idade, renunciou à sua clínica lucrativa de Harley Street, para dedicar os últimos seis anos de sua vida à busca de um método de tratamento mais simples e natural, que não "requeresse a destruição nem a alteração de coisa alguma",** busca que, em muitos sentidos, ultrapassava a concepção e a meta de Hahnemann.

Há três sentidos em que os Remédios Florais do Dr. Bach são novos e diferentes dos métodos sutis de tratamento até agora desenvolvidos no Ocidente:

---

* Os sete nosódios de Bach, que ele apresentou, tornaram-se parte firmemente estabelecida da matéria médica homeopática internacional.

** Pormenores sobre a pessoa e a vida de Edward Bach encontram-se na biografia escrita por Nora Weeks, *The Medical Discoveries of Edward Bach, Physician* (C. W. Daniel, 1940).

1. O conceito de saúde e doença de Edward Bach, isto é, o enfoque espiritual que ele emprega, tem raízes num sistema universal de referência, que extrapola os limites da pessoa individual.* Isso o levou a uma nova forma de diagnóstico, já não baseado em sintomas físicos, mas exclusivamente em estados de desarmonia da alma, ou sentimentos negativos, semelhantes aos "mentais" homeopáticos, porém mais abrangentes do que eles.

2. Novos, e diferentes na atualidade, são também os métodos simples, naturais, que Bach usava para liberar as energias curativas das flores no seu estado material, e transferi-las para o veículo. Em resultado disso, os Remédios Florais atuam diretamente, isto é, ao contrário da Lei dos Símiles, harmonizando e curando, e sem que haja a possibilidade de superdoses, efeitos colaterais, e incompatibilidade com outros métodos de tratamento.

3. Esse modo de ação, "inofensivo" no melhor sentido da palavra, torna as bênçãos dos Remédios do Dr. Bach acessíveis a um número muito maior de pessoas, para usarem na cura e na autocura, do que até agora tem sido possível com métodos sutis de cura. O emprego bem-sucedido dos remédios de Bach não exige treinamento em medicina nem em psicologia, mas apenas perceptividade, capacidade de pensar e apreciar, e, acima de tudo, sensibilidade e sentimentos naturais para com a outra pessoa.

---

* Exposto circunstanciadamente em apenas 52 páginas em sua obra principal, *Heal Thyself* (C. W. Daniel, 1931).

Capítulo 2
COMO FUNCIONAM OS REMÉDIOS?
Uma interpretação possível

Até o momento, não existe explicação alguma sobre o modo de ação dos Remédios capaz de satisfazer aos critérios científicos atuais. Têm sido oferecidas hipóteses baseadas na química molecular, na cibernética e na física para explicar outros sistemas sutis de cura. É possível que elas também se aplicassem aos Remédios do Dr. Bach. Considerando-se a expansão extremamente rápida do conhecimento nesses campos, será uma questão de tempo poderem também as mudanças de energia produzidas por tais métodos sutis ser medidas e demonstradas por processos científicos.

Edward Bach escreveu em poucas palavras tudo o que considerava importante em relação ao seu método de tratamento em suas duas obras *Heal Thyself* e *The Twelve Healers and Other Remedies** (ambas publicadas por C. W. Daniel, Saffron Walden, Essex). As pessoas familiarizadas com o mundo espiritual dele só precisarão, até agora, desses dois livrinhos. E a quem quer que tome os Remédios Florais do Dr. Bach, seja terapeuta seja paciente, bastará ter o seu próprio exemplar de *Heal Thyself*, para ler e reler.

Verificou-se, porém, que, hoje, nem toda a gente pode apreender e aceitar a simplicidade e a grandeza dos pensamentos de Edward Bach, postos por escrito há cinqüenta anos. Assim sendo, os seus pensamentos e o modo de ação dos Remédios Florais são aqui apresentados e explicados à luz dos conhecimentos e percepções atuais.

---

* Ver *Cura-te a Ti Mesmo* e *Os Doze Remédios* em *Os Remédios Florais do Dr. Bach*, Ed. Pensamento, São Paulo, 1990.

Completa a explicação uma interpretação da ação de um ponto de vista psicodinâmico, enfoque amiúde utilizado por profissionais que atentam para os aspectos psicológicos. Finalmente, para os interessados, apresentam-se também introspecções adicionais, obtidas na prática de um curador esotérico.

A. Interpretação de Edward Bach

Em 1934, Bach escreveu o seguinte em relação ao modo como operam os seus Remédios Florais:

> A ação desses remédios consiste em elevar nossas vibrações e abrir nossos canais para a recepção do Eu Espiritual; em inundar nossa natureza com a virtude particular de que precisamos, e em expurgar de nós o erro que causa o mal. Elas são capazes, como uma música bonita ou qualquer outra coisa gloriosa, que nos eleva e inspira, de alçar nossa própria natureza, de aproximar-nos de nossa alma e, por esse mesmo ato, de dar-nos paz e aliviar nossos sofrimentos. Elas não curam atacando a moléstia, mas inundando-nos o corpo com as formosas vibrações da nossa Natureza Superior, na presença das quais a moléstia se derrete, qual neve ao calor do sol.
> Não haverá cura verdadeira se não houver mudança na aparência, paz de espírito, e felicidade interior.

A princípio, isso pode parecer improvável a muita gente, mas tornar-se-á perfeitamente claro se se compreender e aceitar a premissa em que Bach baseou sua linha de pensamento – semelhante a Hipócrates, Hahnemann e Paracelso, grandes homens que tinham o mesmo espírito.

1. Criação e destino

A vida humana, o homem neste planeta, é apenas parte de um conceito maior de criação. Vivemos no interior de uma estrutura mais ampla de referência, uma unidade mais abrangente, mais ou menos como a célula dentro do corpo humano. Toda pessoa se compõe de duas coisas: um indivíduo único, e uma parte vital e essencial da unidade maior, o todo maior.

Dentro da criação, há Unidade em todas as coisas, e cada um de nós se relaciona com tudo o mais por uma forma de energia comum, mais alta, e mais poderosa, à qual têm sido dados muitos nomes, como, por exemplo, "força criativa", "princípio de Vida universal", "princípio cósmico", "amor" (no sentido de uma forma mais elevada de razão), ou simplesmente "Deus".

Como tudo o mais em nosso universo, desde cristais de geada nas janelas até a geração e morte de sistemas planetários inteiros, o desenvolvimento de todo ser humano individual segue um curso de ação e reação programado, uma lei inerente. Todo ser humano tem uma matriz com potenciais específicos de energia, uma missão, uma tarefa, um destino, um carma, ou o que quer que possamos chamar-lhe.

Sendo parte do grande plano da criação, todo ser humano tem uma Alma imortal – seu Eu verdadeiro – e uma Personalidade mortal – que ele representa aqui na terra. Existe um Eu Superior intimamente ligado à Alma, e que, pode dizer-se, funciona como mediador entre a Alma e a Personalidade.

A Alma, cônscia da missão particular que tem a pessoa, forceja por dar a essa missão uma expressão, com a ajuda do Eu Superior e através da Personalidade de carne e sangue, e fazer dela uma realidade concreta. A Personalidade, para começar, não se dá conta da missão. As potencialidades que a Alma deseja realizar através da Personalidade não são concretas. São, na verdade, qualidades mais elevadas, ideais, a que Edward Bach se referia chamando-lhes "as virtudes do nosso Eu Superior". Incluem-se, entre elas, a delicadeza, a firmeza, a coragem, a constância, a sabedoria, a alegria, o propósito. Poetas de todas as épocas louvaram-nas como nobres qualidades de caráter. Elas também poderiam ser chamadas de qualidades ideais, arquetípicas, da alma da humanidade, cuja compreensão conduzirá à verdadeira felicidade dentro do contexto de um Todo maior.

Se as qualidades não forem compreendidas, o sentimento oposto, a infelicidade, desenvolver-se-á mais cedo ou mais tarde. As virtudes potenciais que não conseguimos compreender agora mostram-se pelo seu lado negativo, como "defeitos"; tais são o orgulho, a crueldade, o ódio, o amor-próprio, a ignorância, a ganância. Esses defeitos, como nos diz Edward Bach, entre outros, são as verdadeiras causas da doença. Todas as pessoas têm o desejo inconsciente de viver em harmonia, pois a natureza, considerada como enorme campo de energia, está sempre tentando produzir o estado de energia mais eficaz.

2. Saúde e doença

Saúde. Se a personalidade pudesse e quisesse agir inteiramente em harmonia com a Alma, que faz parte do todo maior, o homem estaria vivendo em perfeita harmonia. A energia criativa divina universal seria capaz de expressar-se através da Alma e do Eu Superior na Personalidade, e nós seríamos fortes, aptos e felizes, e nossas energias estariam em harmonia com o grande campo de energia cósmica, do qual somos parte.

Doença. Toda vez que a Personalidade não está ligada ao grande campo de energia cósmica pela sua Alma, e não oscila em harmonia com ela, ocorrem a dirupção, a congestão, o atrito, a deformação, a desarmonia, a perda de energia. Tais condições se acham presentes, primeiro, numa forma sutil, não-material, mas depois progridem para o nível material, manifestando-se primeiro como estados de espírito negativos, e, em seguida, de moléstia física. A função da moléstia física é a de um corretivo final. Para dizê-lo de maneira mais simples, é uma luz vermelha de advertência, a indicar muito claramente que alguma coisa precisa ser feita logo, pois, a não ser assim, disso se seguirá o malogro total, mais cedo ou mais tarde.

No dizer de Edward Bach, dois erros básicos são a verdadeira causa da doença.

Primeiro erro: A Personalidade não age de acordo com a Alma, mas persiste na ilusão de achar-se separada dela.

No extremo absoluto, a Personalidade já não tem condições sequer de reconhecer a existência da Alma e do Eu Superior, aceitando materialisticamente apenas o que "pode ser visto e tocado". Com o decorrer do tempo, ela corta, assim, o próprio cordão umbilical, murcha e destrói-se.

Mais freqüentemente, porém, a Personalidade limita-se a interpretar mal as intenções da Alma em certos sentidos, e age depois de acordo com uma compreensão limitada da situação.

Em todas as áreas separadas em que a Personalidade se afastou do grande fluxo de energia cósmica, ou do Amor, segundo a maneira de expressar-se de Edward Bach, as virtudes, isto é, os traços positivos de caráter, deformadas, tornam-se destrutivas, conduzindo a estados negativos de alma e de espírito.*

Segundo erro: a Personalidade peca contra o "Princípio da Unidade". Agindo contra as intenções do Eu Superior e da Alma, a Personalidade estará agindo também, automaticamente, contra os interesses da Unidade Maior, visto que a Alma está vinculada a ela em termos de energia.

Acima de tudo, entretanto, a Personalidade pecará contra o Princípio da Unidade ao tentar impor, à força, sua própria vontade sobre

---

* "A virtude sem amor nos torna duros. A fé sem amor nos faz fanáticos. O poder sem amor nos deixa brutais. O dever sem amor faz de nós criaturas mal-humoradas. A disciplina sem amor nos amesquinha." Esta citação anônima expõe perfeitamente o formulado.

outro ser, contra a vontade desse outro ser. Isso não somente impede o desenvolvimento do outro, mas também, estando todas as coisas relacionadas entre si, perturba todo o campo de energia cósmica, isto é, o desenvolvimento da humanidade como um todo.

Toda doença é precedida de um estado negativo da alma, em virtude do mau uso de uma das grandes qualidades ou virtudes humanas arquetípicas. Aqui está um exemplo:

O estado negativo da alma pode provir de atitudes egoístas, irrefletidas, nascidas da cobiça como virtude usada de forma errada. A cobiça é o lado negativo da qualidade da alma que se expressa no amor ao semelhante e na tolerância.

Em *Heal Thyself*, Edward Bach escreveu: "A cobiça leva ao desejo de poder. É uma negação da liberdade e da individualidade da alma. Em vez de reconhecer que cada um de nós está aqui para desenvolver-se livremente na sua própria direção, de acordo com os ditames da alma, para aumentar sua individualidade, e para trabalhar livre e desimpedida, a personalidade cheia de cobiça deseja dar ordens, modelar e comandar, usurpando o poder do Criador.

"... Cada um desses defeitos, a persistirmos nele contra a voz do Eu Superior, produzirá um conflito que há de, por força, refletir-se no corpo físico, produzindo o seu próprio tipo específico de moléstia.

"... O resultado da cobiça e da dominação de outrem são as moléstias que tornam o paciente escravo do próprio corpo, com desejos e ambições refreados pela doença."*

3. Enfoque do tratamento de Edward Bach

Bach baseia o seu diagnóstico na lei da Alma, princípio mais alto de causa, e não, como todas as outras escolas de medicina do mundo ocidental, no aspecto limitado da personalidade e na esfera da ação física.

Edward Bach não utilizava os sintomas físicos para diagnosticar, mas apenas os estados de alma negativos, conseqüências do conflito entre levar a cabo as instruções da Alma e as da Personalidade, que pode, afinal de contas, acarretar a doença física.

Esses estados de alma negativos, entretanto, não são tratados como sintomas que devam ser "combatidos", pois isso lhes conservaria a

---

* A anorexia nervosa na puberdade pode servir de exemplo aqui. Bach teria considerado o paciente escravo do próprio corpo, e, nesse caso, escravo de um forte impulso sexual, "voraz". A doença obsta à realização desses desejos e impulsos, e a doença, vale dizer a recusa de comer, retarda ou impede o desenvolvimento feminino.

energia, mas são inundados, por assim dizer, de ondas mais altas de energia harmoniosa, de modo que "se derretem qual neve à luz do sol", para usarmos a expressão do próprio Bach. Como poderemos retratar tudo isso?

As flores usadas por Bach são de plantas de uma ordem mais elevada, como ele dizia. Cada qual encarna certa qualidade da alma, ou, para dizê-lo em termos energéticos, tem um comprimento determinado de ondas de energia. Cada uma dessas qualidades da alma "com sede na planta", está em harmonia com certa qualidade da alma da pessoa, isto é, com certa freqüência no campo humano de energia. A Alma humana contém todas as 38 qualidades da alma das Flores de Bach – como potencialidades de energia, virtudes, ou centelhas divinas.

Quando surge um conflito entre as intenções da Alma e as da Personalidade, dentro de certa qualidade da alma ou potencial de energia, o comprimento de onda no campo de energia, deformado, se desarmoniza e desacelera. Tal deformação terá efeito negativo sobre toda a psique da pessoa, e, como diz Edward Bach, a partir daí, se desenvolve um estado negativo da mente e da alma.

Como atua um Remédio Floral numa situação dessas?

O Remédio Floral tem a mesma freqüência de energia harmoniosa da qualidade correspondente da alma humana, mas, nesse caso, sem deformação e em ritmo normal. Tem, portanto, afinidade com a qualidade da alma humana, pode estabelecer contato com ela, e, com suas próprias ondas harmoniosas de freqüência, restabelecer a harmonia da alma.*

Para dizê-lo de outra maneira: o Remédio Floral do Dr. Bach atua como uma forma de catalisador, restabelecendo o contato entre a Alma e a Personalidade no ponto em que este se interrompeu. A Alma é de novo capaz de comunicar suas intenções à Personalidade. A vida retorna a uma área em que a desarmonia e a rigidez se haviam instalado. Ou, como disse Bach: O ser humano volta a ser ele mesmo num ponto em que o deixara de ser.

Presa na confusão e na restrição que é apenas humana demais, a Personalidade encontra um modo de sair outra vez, voltando às qualidades ou virtudes da alma que emprestam significado à nossa existência neste planeta e trazem harmonia.

4. Um método novo e simples de potenciação

Desde tempos imemoriais, as plantas vêm sendo usadas com propósitos medicinais. Bach, todavia, faz distinção entre as plantas que ali-

---

* A música e a terapia pela cor se baseiam em princípios semelhantes.

viam sintomas e as que contêm poderes curativos autênticos. Estas últimas pertencem a uma "ordem superior". Ele as encontrou por um método intuitivo e chamou-lhes "as felizardas do mundo das plantas". Sua sensibilidade era tão desenvolvida naquele tempo, que lhe bastava colocar uma pétala da planta sobre a língua para se dar conta dos seus efeitos sobre o corpo, a alma e o espírito. É interessante notar que nenhuma planta é tóxica, e que muitas não revelam sua qualidade à vista. Algumas também se usam em outra forma de medicina herbácea, mas a maioria simplesmente se classifica como ervas daninhas. É importante colhê-las apenas em lugares em que a natureza continua intacta, onde elas crescem no ermo. Cultivadas, perderiam os poderes curativos.

A própria planta não se destrói nem estraga. A flor, em que se concentram todas as suas energias essenciais, é colhida no ponto de plena maturidade ou perfeição, isto é, quando ela está a pique de cair. (Há, contudo, apenas uns poucos dias perfeitos em que as duas condições essenciais, o céu ensolarado e sem nuvens e a plena maturidade das flores, coincidem.)

O intervalo de tempo entre a colheita das flores e a sua preparação há de ser o menor possível, para que dificilmente se perca alguma energia. O conjunto é um processo harmonioso de alquimia natural, envolvendo os poderes tremendos dos quatro elementos. A terra e o ar trouxeram a planta ao ponto de maturação. Usa-se o sol, ou os elementos do fogo, para liberar a alma da planta do seu corpo. A água, por fim, serve de veículo, para um propósito mais alto.

Edward Bach pedia aos colegas homeopatas: "Não permitam que a simplicidade deste método os impeça de empregá-lo, pois descobrirão que, quanto mais avançarem as suas pesquisas, tanto maior lhes parecerá a simplicidade da Criação."

5. A simplicidade como princípio básico do emprego dos Remédios Florais

O termo "simplicidade" tende a ser malcompreendido num mundo de sofisticação cada vez maior, e equiparado, às vezes, a "primitividade". A simplicidade refere-se à unidade, à perfeição e à harmonia. Eis aí a razão por que toda a gente se sente atraída pelas "coisas simples da vida", ainda que vagamente. Para perceber a unidade e a simplicidade que jazem atrás até da maior diferenciação e da aparente complexidade de um processo, é necessário ter não apenas objetividade, perceptividade e capacidade de captar o todo, mas também uma presteza fundamental para ver-se como parte de um todo, parte que, em última instância, é governada por um princípio criativo unificado e simples.

1. Plano de vida do Eu Superior para o desenvolvimento da Personalidade.

2. Personalidade imperfeitamente desenvolvida. Potencialidades não utilizadas plenamente.

3. Personalidade perfeitamente desenvolvida. Todas as potencialidades realizadas.

Não pode ser à toa que praticamente todos os grandes cientistas acabaram, no fim da vida, aceitando este modo de ver. A meta primária e o resultado da Terapia Floral do Dr. Bach são restaurar e reafirmar essa atitude fundamental em todo ser humano.

B. Uma Interpretação Psicodinâmica Possível

Os praticantes da Terapia Floral do Dr. Bach, particularmente interessados em psicologia, enfatizam as mudanças que se verificam na consciência e no processo do desenvolvimento psíquico. Correm, às vezes, o risco de ver-se enredados no interior das fronteiras da Personalidade, e de não conseguir alcançar o nível espiritual do enfoque de Edward Bach.

À semelhança de Edward Bach, partem do conceito de um Eu Superior, que quer chegar à compreensão através do indivíduo ou da Personalidade. O processo de crescimento, tal como é visto nesta interpretação, ocorre em certo número de ciclos, diferentes e distintos, mas também complementares.

Fora o ciclo do desenvolvimento físico, manifesto a toda a gente, existem também os ciclos de desenvolvimento espiritual e desenvolvimento da alma, para citar apenas os principais.

O propósito da vida é passar por todos esses ciclos com percepção cada vez maior, vivendo-os integralmente, de sorte que, no curso da vida, possa realizar-se todo o potencial do Eu Superior. Tudo o que venha a favorecer o processo de realização consciente – até acontecimentos que inicialmente podem parecer negativos – é considerado positivo. Tudo o que escurece a consciência é negativo e, mais cedo ou mais tarde, redundará em doença. A saída-chave desse enfoque psicodinâmico é visar conscientemente a uma mudança construtiva e aceitá-la. A fim de ilustrar o que dizemos, aqui está um exemplo grandemente simplificado:

O Eu Superior deseja expressar sua capacidade de confiança em si e de presteza para aceitar riscos, através da Personalidade. Emite impulsos energéticos apropriados, recebidos pelo "Eu" da Personalidade. A pessoa tem a idéia de abrir uma loja de flores. Usando a energia vinda do Eu Superior, atira-se à realização da idéia com entusiasmo, e, depois das experiências positivas e negativas obrigatórias, torna-se um comerciante de flores satisfeito.

Que aconteceu? O potencial do Eu Superior encontrou expressão na Personalidade. A Personalidade ficou mais rica.

Infelizmente, os impulsos vindos do Eu Superior nem sempre podem ser aceitos e realizados com a mesma simplicidade. Muitas vezes, acontece o seguinte: Penosas experiências de infância, educação defeituosa, fatores ambientais negativos, etc., dão a impressão ao indivíduo de que as mensagens do Eu Superior não são aceitáveis. Ele tenta silenciar esses impulsos dentro de si, respondendo com uma reação de evitação, como o medo, a incerteza, a falta de coragem, o alheamento ou a indecisão. Nesse momento, bloqueia-se o impulso energético do Eu Superior. O potencial não pode ser realizado.

Para voltar ao nosso exemplo: A pessoa, quando criança, teve a experiência da falência do negócio do pai, e reage com desconfiança, dizendo talvez a si mesma: "Não me julgo capaz de dirigir uma loja de flores. Outros poderão fazê-lo, mas eu, não." O conflito entre o impulso do Eu Superior e a reação de evitação do indivíduo não só deixará de enriquecer a Personalidade, mas também a fará duplamente mais pobre:

Em primeiro lugar, parte do potencial não poderá ser realizado. Em conseqüência disso, bloqueia-se uma energia valiosa.

Em segundo lugar, o conflito interior utiliza diariamente energia psíquica adicional, energia que não vem da força inexaurível do Eu Superior, mas tem de ser tirada dos recursos disponíveis à Personalidade, por assim dizer, despojando outras áreas, onde precisam ser tomadas medidas específicas.

Dá-se agora à pessoa o Remédio Floral *Larch*, "para os que esperam o desastre, que não se consideram tão bons nem tão capazes quanto aqueles que os cercam..."

Qual é o efeito? Tendo o mesmo comprimento de ondas do potencial de energia do Eu Superior, que deseja expressar-se, é capaz de estabelecer contato direto com essa energia. Elimina o bloqueio, que está num nível de freqüência mais baixo, desarmonioso, inundando-o com a sua própria freqüência harmoniosa, mais alta. Pode dizer-se que isso reforça o potencial do Eu Superior, de modo que ele é agora capaz de tomar as medidas certas para romper completamente o bloqueio.

No exemplo acima, o indivíduo se dá conta da sua atitude negativa, da sua falta de confiança em si, e, subitamente, começa a ver as coisas de uma nova perspectiva. Diz a si mesmo: "O que aconteceu a meu pai não precisa acontecer-me. Por que não seria eu capaz de abrir uma loja? Outros conseguem fazê-lo. Serei bem-sucedido. E se isso não der certo, aprenderei, pelo menos, muita coisa com a experiência."

Claro está que o processo nunca será tão direto quanto foi descrito aqui, e haverá dificuldades e regressão.

O resultado, depois que o bloqueio tiver sido resolvido: A energia do Eu Superior pode ser cabalmente utilizada pela Personalidade. Ao mesmo tempo, o indivíduo terá de novo à sua disposição a energia psíquica, que, antes disso, tinha de ser gasta diariamente para manter a reação negativa de evitação. A Personalidade enriqueceu-se duplamente.

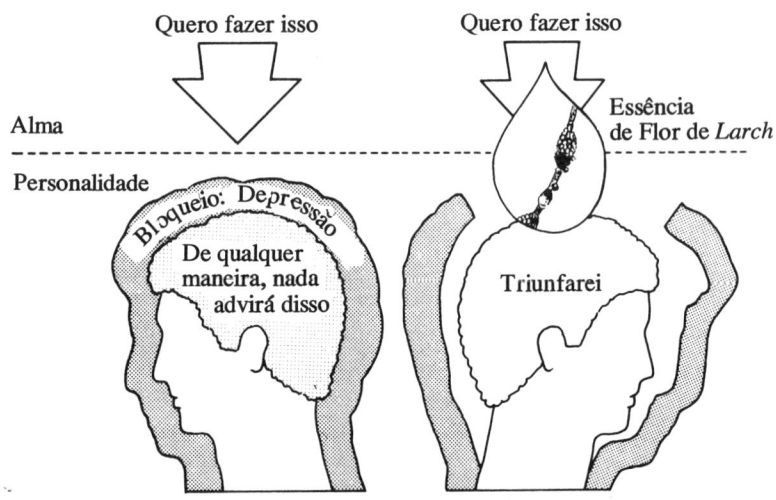

C. Aspectos Novos, Esotéricos

Comecemos com alguns conceitos esotéricos interessantes, que dizem respeito à relação entre o homem e a flor.

A flor tem sido sempre considerada e usada como um símbolo de beleza e o desenvolvimento das mais altas faculdades. Exemplos disso são a rosa, usada pelos rosa-cruzes e pelos sufistas, e o lótus de mil pétalas da filosofia indiana. A razão é porque, quando o homem pôs o pé no planeta terra, a fim de materializar o seu corpo físico, a planta já quase completara a sua evolução. A humanidade, por conseguinte, deve muito da própria estrutura às energias que hauriu do reino das plantas, que então já atingira a perfeição, para o seu próprio desenvolvimento.

O Mestre tibetano Djwal Kul ensinou* que existe um elo direto entre o inconsciente do homem e o reino das plantas. O homem, portanto, estabelece contato com a própria natureza essencial do Eu Superior, num nível inconsciente, através da natureza da planta, e, assim, restaura a harmonia em seu interior.

Essa interpretação esotérica do modo de ação projeta mais luz sobre muitas coisas que Edward Bach escreveu em seu livro *Heal Thyself*. Isso, assim como o seguinte, baseia-se na obra e na experiência de Ioanna Salayan, que usa a terminologia de Alice Bailey. Ela interpreta o homem como um campo de energia de sete níveis ou planos distintos, que influenciam e se complementam uns aos outros. O único normalmente visível ao olho humano é o corpo físico. Cada nível está em outra freqüência de energia. Os seis níveis não visíveis aos olhos denominam-se "aura". Praticamente todas as escolas de ocultismo empregam o mesmo conceito de uma forma ou de outra.

No primeiro nível ou plano da aura, o etérico, as energias são coligidas e distribuídas a partir de pontos conhecidos como chacras. Estes estão diferentemente relacionados com os outros níveis do campo de energia e realizam um movimento de rotação em freqüências diversas, que os sensitivos percebem em forma de cores diferentes. A aura abrange todos os níveis de consciência e experiência da Personalidade. É governada pelo Eu Superior. Este, porém, no esquema aqui apresentado, só forma a ponte, no quarto plano ou plano transpessoal, entre a Personalidade mortal e a Alma imortal, sendo a Personalidade mortal, por sua vez, somente uma das muitas formas em que a Alma imortal chega a expressar-se.

O propósito de uma vida particular, para o Eu Superior, é fazer com que as intenções da Alma se realizem na Personalidade. De acordo com essa interpretação, a doença é desarmonia ou desvirtuamento de

---

* Conforme registrou Alice Bailey.

freqüências dentro de níveis diferentes da aura e o Eu Superior, ou entre eles. O padrão de informação desse desvirtuamento mostra-se no primeiro nível, o etérico, que obedece a leis de tempo diferentes do corpo físico, semanas, meses e, na verdade, até mesmo anos antes de manifestar-se no corpo.

Alguns sensitivos são capazes de perceber provas dessas desarmonias em forma de sombras; outros as experimentam como radiações desarmoniosas. Se forem corrigidas no nível etérico, mediante o uso de métodos sutis de cura, essas desarmonias não se manifestarão no corpo físico. Falando idealmente, a saúde é a perfeita harmonia e equilíbrio entre todos os níveis de energia da aura e o Eu Superior.

Consoante o ponto de vista esotérico, a maioria das doenças da humanidade moderna se origina menos no nível mental (pensamentos errados, princípios malcompreendidos) do que no nível emocional, o plano das emoções inconscientes e das reações subjetivas, bloqueadas, ou estimuladas em excesso.

Isso conduz ao desvirtuamento das ondas de energia, e, daí, a estados negativos, como o medo, o ódio, o ciúme, a cólera, a impaciência, a preocupação, etc. Esses estados atuam, primeiro que tudo, através do plano etérico, sobre o sistema nervoso do corpo físico, e, mais tarde, sobre outros órgãos também.

Hoje em dia, drogas de todo gênero, desde a nicotina, o álcool, o haxixe, o excesso de televisão, até a música de *rock* mais dura e uma inundação geral de informações, estão constantemente estimulando o nosso nível emocional.

Note-se como se mostrou coerente e "progressivo" Edward Bach dirigindo a sua terapia exclusivamente para essas emoções negativas.

Haverá outra coisa nesse campo que ajude a aprofundar a nossa compreensão da maneira com que funcionam os Remédios Florais do Dr. Bach?

Disse Bach que as Essências Florais estabelecem contato direto com o Eu Superior da Personalidade e, assim, se tornam ativas em todos os aspectos da nossa natureza, em todas as partes da aura. Os planos da aura não estão sujeitos às leis do espaço e do tempo a que o corpo físico tem de obedecer, e uma moléstia incipiente, portanto, pode ser curada antes mesmo de manifestar-se no corpo físico. Isso explica por que Edward Bach sempre fazia referência ao valor profilático dos seus Remédios Florais.

Os Remédios Florais do Dr. Bach entram em contato direto com o Eu Superior do Homem. Isso também explica por que são compatíveis com praticamente todos os outros medicamentos e tratamentos, cuja ação se limita a determinados níveis de energia, geralmente o do corpo físico. As Flores do Dr. Bach atuam como impulsos divinos de energia, através de todos os níveis de energia.

Alguns curadores sensitivos vêem ou sentem a atividade acentuada dentro do conjunto da aura, imediatamente depois de haver o paciente tomado um Remédio Floral. Muitos pacientes sensitivos experimentam uma reação imediata num determinado chacra, o que é também acompanhado, às vezes, por sensações de cor. Outros, em experiências feitas em condições especiais,* descreveram a nota emocional particular dirigida pela energia da flor.

Cumpre salientar, no entanto, que, embora estas observações sejam interessantes, é evidente que são inteiramente subjetivas. Não existe modo pelo qual possam ser aplicadas de um modo geral, se bem que alguns autores estejam sempre tentando fazê-lo.

---

* Nem a pessoa submetida à experiência, nem o experimentador conhecem o tipo de Essência Floral utilizado em cada caso particular.

Capítulo 3
COMO ENCONTRAR O REMÉDIO CERTO

> *"Nenhuma ciência, nenhum conhecimento é necessário além dos métodos simples aqui descritos; e os que quiserem obter o maior benefício da Dádiva mandada por Deus serão os que a mantiverem pura como ela é; livre da ciência, livre das teorias, pois tudo na Natureza é simples."*
>
> Edward Bach

"Trata o paciente, não trates a doença" é o princípio básico do método de Bach. Quem é o indivíduo que está à sua frente, e qual é o estado da sua alma? A experiência da vida e o sólido bom senso deveriam permitir-nos reconhecer estados emocionais como a cólera, o medo ou a falta de confiança em si. Existe, porém, uma precondição essencial:

A. Primeiro o Conhecimento de Si Próprio, Depois o Diagnóstico de Outros

Antes de diagnosticar outras pessoas temos de lograr o conhecimento de nós mesmos. Só compreendemos os outros em esferas onde nos compreendemos. É também importante, tanto quanto possível, certificar-nos de que não estamos olhando para a outra pessoa através dos olhos dos nossos medos, inibições e preconceitos.

Os especialistas na terapia do Dr. Bach sempre aconselham, portanto, que gastemos pelo menos um ano procurando conhecer os Remédios Florais e seus efeitos sobre nós mesmos, antes de passar ao diagnóstico de outros. Um modo útil é procurar, antes de tudo, um profissional familiarizado com o método do Dr. Bach, submeter-nos a um tratamento e observar como experimentamos a ação dos Remédios Flo-

Edward Bach (1886-1936)

rais. Como me sinto quando preciso de determinada flor? E como me sinto depois de tomá-la?

Isso será relativamente fácil se nos encontrarmos num estado emocional excepcional, como, por exemplo, em conseqüência da morte de um ente querido, do medo existencial, ou de uma crise de decisão. Será mais difícil se o nosso próprio processo de desenvolvimento não tiver altos e baixos especiais na ocasião.

É um conforto saber que, mesmo que não consigamos fazer o diagnóstico inteiramente certo da nossa própria condição, nenhum mal nos advirá disso, pois se a freqüência de uma flor não for a certa, o Eu Superior o saberá e não a admitirá em nosso sistema energético. Não surtirá, portanto, efeito algum, à diferença dos medicamentos ministrados em doses materiais, que sempre exercerão um efeito sobre o metabolismo.

É também importante manter sempre em mente que as listas de sintomas dadas nos capítulos seguintes só indicam tendências. Nunca deveremos permitir que isso nos irrite; cumpre-nos, ao contrário, usar as listas como ponto de partida para lograr nossas próprias introspecções do estado energético concreto, que será sempre único.

Experiências obtidas com a automedicação

Trabalhar com os Remédios Florais do Dr. Bach significa sempre empenhar-se num processo intenso de descoberta de si mesmo.

Muitas vezes, a flor com a qualidade da alma que menos parece ter alguma relação conosco é exatamente aquela de que realmente precisamos. Temos, literalmente, uma tendência para ser cegos a alguns de nossos próprios traços de caráter.

À medida que progredimos no tratamento de nós mesmos, começam geralmente a manifestar-se problemas que jazem na região fronteiriça entre o consciente e o subconsciente, problemas que o nosso plano de vida determina sejam agora reconhecidos e solucionados. Quando isso acontece, a experiência revela que bloqueios anteriores serão trabalhados, na ordem inversa, diretamente de volta à infância. Crises menores ou maiores de consciência poderão desenvolver-se no processo, e estas, não raro, são necessárias para pôr em movimento o fluxo de energia. Muitos problemas antigos erguerão, mais uma vez, penosamente, a cabeça, até que se possa mobilizar o esforço suficiente para levar a cabo uma mudança interior. A experiência varia nesse sentido, sendo altamente individual. Não existem duas pessoas iguais, e, por conseguinte, tampouco existem duas reações iguais. Todo o mundo experimenta as Flores do Dr. Bach de acordo com o seu caráter.

A intensidade da reação parece relacionar-se com o nosso grau de sensibilidade, nossa abertura básica à mudança, e nossa disposição para assumir a responsabilidade pelo próprio desenvolvimento, e, portanto, igualmente pelo próprio estado de saúde.

Alguns métodos para conseguir uma familiarização mais rápida com as Flores do Dr. Bach

Os Remédios Florais do Dr. Bach representam trinta e oito estados arquetípicos da alma. Julian Barnard[*] propõe um jogo ao mesmo tempo

---

[*] Julian Barnard, *A Guide to the Bach Flower Remedies* (C.W.Daniel, Saffron Walden, Essex, 1979). Publicado pela Ed. Pensamento com o título de *Um Guia para os Remédios Florais*.

divertido e instrutivo. Sugere ele que pensemos em alguns personagens dos contos de fadas e nos remédios que representam. A Gata Borralheira, por exemplo, seria *Centaury* – escarnecida por toda a família e com uma vontade tão fraca que não consegue enfrentá-la. Mas como ela nunca se sentiu uma "coitadinha" não necessita de *Willow* também. A madrasta era do tipo *Chicory*. Quando a Gata Borralheira, finalmente, casou com o princípe, suas irmãs teriam precisado, sem dúvida, tomar umas poucas gotas de *Holly* para superar o ódio e a inveja. Os clássicos também fornecem rica esfera de observação para a prática do diagnóstico. Que remédio prescreveria o leitor para Hamlet? O mais importante de todos seria *Scleranthus* para a indecisão ("Ser ou não ser. . . "). Depois, *Mustard* para a profunda melancolia, e *Cherry Plum* para a loucura incipiente e as idéias de suicídio.

Aqui está outro exercício útil: Lance um olhar para a sua vida passada e identifique os estados emocionais que predominaram em épocas diferentes. Como era você quando menino de escola, por exemplo? Seria do tipo *Agrimony*, isto é, alegre por fora, mas "não interessa a ninguém como pareço por dentro". Ou estava "sempre em outro lugar com os seus pensamentos", como *Clematis*?

Relembre crises passadas, e o modo com que sua alma respondia a elas. Você talvez se tenha quase afogado quando pequeno: *Star of Bethlehem*; depois disso, sempre ficava nervoso com a idéia de entrar na água: *Mimulus*. O choque que então experimentou ainda pode estar presente em seu sistema energético. Agora, afinal, ele pode ser resolvido. Observe suas reações quando está muito cansado, ou está em crise, ou precisa tomar uma decisão difícil. Em ocasiões como estas você se acha muito próximo da sua própria personalidade, com suas fraquezas e traços negativos de caráter, e não há como encobrir isso nem como justificá-lo intelectualmente.

Depois de termos tido uma experiência pessoal das bênçãos que os Remédios Florais do Dr. Bach podem proporcionar, poderemos pensar também em ajudar os outros. Após escolher um momento tranqüilo, é importante perguntarmos a nós mesmos: Por que desejo ajudar os outros? Quais são os meus motivos? Serão, na verdade, apenas os de servir a meu semelhante? Ou que outros motivos terei? Pode haver um desejo de brilhar, de ter influência, ou uma necessidade de estabelecer novos contatos, ou talvez tenhamos "encontrado um mercado não-explorado". Quanto mais esses e outros motivos pessoais limitativos se apresentarem em evidência – eles estão, naturalmente, sempre presentes em certo grau – tanto mais fracos serão os resultados no decorrer do tempo, porque nossos atos não estarão sendo guiados pelo Eu Superior nesse caso, consoante as leis espirituais.

Nessas condições, deve continuar a ter prioridade o trabalho para aperfeiçoar nossa própria personalidade, de acordo com as ordens divinas. Como disse o Dr. Bach (aqui parafraseado): O melhor presente que podemos dar a outrem é sermos felizes e cheios de esperança, pois, dessa forma, o arrancaremos da sua depressão. Em outras palavras, se nossas próprias vibrações estão em harmonia, as de outra pessoa também podem harmonizar-se.

B. Como Diagnosticar os Outros

Os dez princípios básicos, geralmente conhecidos, mas que sempre convém tomar em consideração, são os seguintes:

1. Antes de fazer um diagnóstico, reflita sobre a sua própria condição. Não comece enquanto não se sentir inteiramente centrado, em contato com o seu Eu Superior.

2. Um bom diagnóstico nunca é feito intelectualmente. Torne-se sensível à outra pessoa e sinta a realidade que se esconde por trás das suas palavras. É mister que o trabalho se baseie sempre no poder do amor que vem do coração, não da cabeça.

3. Ao fazer o diagnóstico, você, como terapeuta, está envolvido no processo de cura. Sempre é preciso estabelecer comunicação entre o seu Eu Superior e o Eu Superior da outra pessoa.

4. Considere a outra pessoa um "ser humano semelhante" e não apenas um "caso". É necessária uma atmosfera de confiança completa para uma pessoa abrir-se para outra.

5. Por essa razão, inclua a outra pessoa, tanto quanto possível, no processo de diagnóstico. Não proceda numa base de rotina. Deixe que ela desempenhe o papel de fornecedora da chave para o diagnóstico, deixando-a escolher alguns remédios por conta própria, se possível.

6. Nunca seja autoritário. Acautele-se contra os julgamentos morais interiores. E não se permita achar que está do lado certo – nem mesmo inconscientemente.

7. A meta mais importante da terapia do Dr. Bach consiste em estimular o Eu Superior da outra pessoa, de modo que ela deseje curar-se. "Cura-te a ti mesmo!" Para isso, cumpre que a outra, primeiro que tudo, aceite o seu estado, ou a sua doença, como parte legítima da sua

personalidade, apreenda o significado disso e assuma a responsabilidade interior por isso, sem se julgar. Urge que ela vise conscientemente uma mudança, e saiba que a mudança virá.

8. A outra pessoa precisa tornar-se ativa. Precisa aprender a cooperar com a energia do Remédio Floral. Com a sua assistência, ela deve, portanto, obter acesso a todas as informações desejáveis sobre os princípios dos Remédios Florais, a diferença que existe entre eles e o tipo usual de medicamento, e também sobre os mecanismos psicológicos e os aspectos filosóficos.

9. O desenvolvimento do lado positivo do que agora é um estado emocional negativo fará o Eu Superior compreender. Ao falar com a outra pessoa, portanto, devemos pensar menos em estender-nos sobre os sintomas negativos, do que em juntar as forças para descobrir as qualidades positivas, ou virtudes, que ela há de adquirir. Ela não deve, por exemplo, afastar-se com a impressão de que é demasiado impaciente e, portanto, necessita de *Impatiens*. Em vez disso, os seus pensamentos hão de ser: "*Impatiens* me ajudará, finalmente, a usar minhas qualidades superiores de maneira mais significativa para mim e para os meus semelhantes."

10. Por fim, como terapeuta, você deve estar convencido, assim como a pessoa que está tratando, de que, em última análise, o êxito do tratamento não está nas nossas mãos.

O diagnóstico baseado no diálogo

Se a outra pessoa não começar a falar dos seus problemas espontaneamente, façamos tentativas delicadas para deixar claro o seguinte:

Qual é a sua atitude para com a vida? Qual é a sua atitude para consigo mesmo? Que "jogos adultos" está jogando? O modo de falar e a escolha das palavras já proporcionarão algumas indicações para determinados Remédios Florais do Dr. Bach. O modo de falar é precipitado, lento ou hesitante? A pessoa fala com convicção (*Vervain*) ou com autoridade (*Vine*)? Conta a sua história em voz baixa, ansiosa (*Mimulus*)? Diz: "Perdi a esperança de..." (*Gorse*), ou "Fico realmente nervosa com..." (*Impatiens*)?

Atentemos para mais algumas particularidades. Que podemos aprender da sua vida, da sua ocupação, da posição social da sua família? Que foi que ela não conseguiu enfrentar emocionalmente, fisicamente: tensões no lar quando criança, decepção no amor, ingestão de drogas? A que se agarra agora? Que atitudes e hábitos do pai ou da mãe ainda a molestam?

Que situações temíveis são agora iminentes: mudança de emprego, divórcio, mudança para outra cidade? É também possível fazer perguntas a que se pode responder com um "sim" ou com um "não" sobre determinado assunto. Por exemplo: "Gosta de trabalhar num grupo? Você é nervoso? (*Mimulus*). Prefere trabalhar por conta própria? (*Water Violet* ou *Impatiens*). Os outros costumam ser demasiado lerdos para você? (*Impatiens*). Você tentaria assumir o controle do grupo? (*Vine*). Você é sempre o bode expiatório que acaba sendo espinafrado? (*Centaury*). Ou tende a agarrar as pessoas pelos colarinhos para falar-lhes de todos os seus problemas? (*Heather*)."

A linguagem do corpo também revelará, naturalmente, muita coisa a respeito do estado emocional da pessoa. Ela está relaxada ou cheia de tensão? Está se mexendo sempre, agitada, na cadeira? Como usa os olhos? O sorriso é autêntico ou assumido? Ela tem rugas de preocupação? Onde estão os pontos em que a energia é claramente bloqueada ou dissipada?

Em condições crônicas, o processo de cura pode ser amiúde iniciado com surpreendente rapidez se conseguirmos, em colaboração com o paciente, descobrir o sentimento desagradável que ele é capaz de evitar mantendo a doença em desenvolvimento. No caso do reumatismo crônico, por exemplo, descobriu-se o seguinte: A senhora se sentia muito agressiva em relação às pessoas mais próximas, mas não queria mostrá-lo. Inconscientemente, portanto, dirigia os impulsos agressivos contra si mesma, desenvolvendo uma enfermidade que lhe causava dor.

Ao fazer um diagnóstico, sete ou oito flores podem não raro, virnos à mente. Isso acontece depois de estarmos sintonizando diversos níveis da personalidade. Deveríamos, nesse caso, fazer-nos uma pergunta: "Que flores são necessárias agora, neste exato momento?" Nem sempre são necessárias cinco ou seis ao mesmo tempo. Muitas vezes, um ou dois Remédios Florais, corretamente escolhidos, se revelarão mais eficazes.

C. Técnicas Sensíveis de Diagnóstico

Algumas pessoas são capazes de encontrar o Remédio certo do Dr. Bach por métodos que se acham no nível da intuição física ou da sensibilidade. Estes incluem a radiestesia, a psicometria e a cinestesia.

Tais métodos podem constituir um auxiliar valioso na elaboração do diagnóstico, contanto que sejam usados por especialistas, o que, infelizmente, nem sempre acontece. O *Bach Centre*, todavia, insiste em que eles nunca poderão, nem deverão, tomar o lugar do diagnóstico intuitivo clássico, baseado no diálogo com a outra pessoa.

Muitas e muitas vezes, a experiência mostrou que o verdadeiro conhecimento dos Remédios Florais, mais cedo ou mais tarde, tornará desnecessária qualquer forma de técnica de diagnóstico sensível. O Eu Superior, ou intuição, fornecerá as respostas, num átimo, antes mesmo que qualquer técnica dessa natureza seja posta em operação.

# Capítulo 4
AS 38 FLORES DO DR. BACH

As descrições dos 38 Remédios Florais do Dr. Bach, que se seguem, incluem material de uma variedade de fontes atualmente acessíveis, mas os pormenores oferecidos estão longe de representar a última palavra sobre o assunto. Há muito mais para ser revelado acerca das sutilezas dos Remédios e seus poderes curativos divinos. Com efeito, esse sistema maravilhoso está apenas começando a revelar o seu verdadeiro potencial.

As informações sobre cada flor são apresentadas da seguinte maneira:

As particularidades botânicas foram tiradas, em forma abreviada, do livro *Os Remédios Florais do Dr. Bach*,* de Nora Weeks e Victor Bullen, que trabalharam com Edward Bach.

Sob o título "Princípio", faz-se uma primeira tentativa para mostrar a qualidade espiritual fundamental da Flor, com uma referência especial aos "mal-entendidos" no desenvolvimento da alma e do espírito da pessoa. Ao "Princípio" seguem-se minúcias práticas, fornecidas por profissionais.

Os Sintomas-Chave são os mais característicos quando a energia está bloqueada e faz-se mister a energia da Flor. Destinam-se a facilitar o primeiro diagnóstico.

A lista de Sintomas provenientes do Bloqueio da Energia deve ajudar a confirmar o diagnóstico. Baseia-se no material dos registros práticos de certo número de profissionais familiarizados com o método do Dr. Bach e da literatura existente a respeito. Intentou-se, deliberadamente, alistar muitos sintomas, que às vezes se embricam, a fim

---

* *Publicado pela Ed. Pensamento, São Paulo, 1990.*

de apresentar amplo espectro dos pontos de partida encontráveis numa base individual.

Alguns sentirão que há implicações negativas nos sintomas. Mostrou a experiência que esse é o modo com que tendemos a dar com eles, na prática, em sujeitos que se expressam num nível relativamente inconsciente. Quanto maior for a consciência da pessoa de estar chegando a um acordo com o próprio processo de desenvolvimento, tanto mais sutis serão os níveis em que ocorrem as condições descritas, e tanto menos aparentes serão eles aos olhos de um estranho. É importante, pois, não só tomar os sintomas alistados literalmente, mas também considerá-los como uma tendência. Nossa primeira preocupação há de ser sentir e reconhecer o princípio implícito.

Para rematar, cumpre notar que uma pessoa, naturalmente, não precisa apresentar todos os sintomas alistados para indicar a necessidade de determinado Remédio Floral do Dr. Bach, diferente para cada pessoa e para cada combinação de Remédios Florais. Se o princípio tiver sido diagnosticado corretamente, um, dois ou três sintomas talvez bastem para confirmar o diagnóstico.

A transformação potencial posterior é a parte mais importante da descrição da Flor. Define a qualidade da alma, o potencial de energia ou virtude que a pessoa tem e que se pretende ver realizado. O trabalho com os Remédios Florais do Dr. Bach pode liberar o bloqueio negativo da energia e mudá-lo num estado de fluxo positivo, harmonioso, logrando a transformação e a realização.

As Medidas de Apoio, no fim de cada seção, demonstraram seu valor na prática para certo número de profissionais do método do Dr. Bach, mas são apresentadas como simples sugestões para completar o quadro.

1. AGRIMONY
Agrimonia eupatoria

Cresce até uma altura de 30 a 60 cm, principalmente nos campos, nas cercas vivas e em terrenos incultos. As flores aparecem entre junho e agosto; produz-se uma espiga alta, de pequenas flores amarelas. Cada flor dura apenas três dias.

Princípio

Agrimony relaciona-se com a capacidade de a alma enfrentar os outros e com sua capacidade de ter alegria. No estado do tipo *Agrimony* negativo, fazem-se esforços para não tomar conhecimento do lado escuro da vida, e há problemas com a integração dessas experiências na personalidade.

Se você telefonar para alguém que acaba de perder uma causa importante no tribunal, e perguntar: "Como vão as coisas?", esperará sentir, normalmente, algum desânimo na resposta. Na mesma situação, o sujeito do tipo *Agrimony* responderá com um "Muito bem, obrigado", e será preciso conhecê-lo a fundo para pressentir o desapontamento implícito.

Os que precisam de *Agrimony* apresentam sempre para o mundo um rosto alegre e descuidado. Na prática, entretanto, é difícil, às vezes, diagnosticar o estado do tipo *Agrimony* negativo.

As pessoas que necessitam de *Agrimony* estão interiormente perturbadas por ansiedades e medos – freqüentemente preocupações materiais relativas a doenças, prejuízos financeiros ou problemas de trabalho. Todavia, preferem morder a língua a deixar que alguém saiba disso. A pessoa do tipo *Agrimony* mostra sempre um rosto corajoso diante das coisas, e, como se fosse um ator, apresenta uma expressão jovial enquanto se encontra no palco, seja qual for a coisa desagradável que a espere nos bastidores.

Os caracteres do tipo *Agrimony* têm um grande desejo de harmonia e também são sensíveis. A discórdia e as tensões entre os que os rodeiam lhes causam tamanha aflição que eles, muita vez, recorrem a um abafador de som por amor da paz, e, às vezes, fazem até sacrifícios. São realmente bondosos para aqueles que os rodeiam, na esperança de que os outros venham a ser também bondosos para eles. Espalhando jovialidade à sua volta, são populares entre os amigos e colegas, no bar e no clube. São a vida e a alma da festa. Até quando está mal, o tipo *Agrimony* continua popular, pois minimiza seus problemas e suas brincadeiras alegram até o pessoal da enfermagem.

Se uma pessoa do tipo *Agrimony*, alguma vez, ficar sentada, sozinha, os problemas que normalmente reprime virão à tona. Entretanto, como não é do seu natural reconhecer a presença de problemas, particularmente de problemas relacionados com ela, evitará, o máximo possível, ficar sozinha. Essa pessoa se atirará a atividades, empreendimentos e sociedades, desde clubes de dança até organizações de caridade. Muitas pessoas que necessitam de *Agrimony* também afogam as tristezas num copo de vinho, ou tentam disfarçar sentimentos indesejáveis com a euforia haurida da ingestão de bolinhas ou drogas. O estado negativo do tipo *Agrimony* assemelha-se à euforia produzida pelo álcool, de modo que o indivíduo parece relaxado por fora, embora esteja tenso por dentro.

Sendo muito receptivos e perdendo facilmente a cabeça, os tipos *Agrimony* não têm grande poder de resistência. Uma mulher num estado negativo de *Agrimony*, por exemplo, pode estar irritada por ser incapaz de seguir o seu regime, e, levada pela ansiedade, faz incursões secretas à geladeira durante a noite; isso acontecerá sobretudo quando pensamentos desagradáveis insistirem em atormentá-la.

No estado de *Agrimony* o sujeito também se arreliará por qualquer coisa, como por ter esquecido de dar um telefonema, de pôr uma carta no correio, ou em virtude de um "fiasco" sexual. Muitas pessoas do tipo *Agrimony* têm pequenos vícios ocultos.

Segundo a experiência dos profissionais, a tendência para o estado do tipo *Agrimony* pode desenvolver-se em alguém cujo lar, na infância, era muito apegado aos padrões da sociedade polida, e as crianças educadas, desde os primeiros dias, na obrigação de "continuar sorrindo". É provável, porém, que a disposição desempenhe o papel principal. Comparadas com outras, as pessoas que exibem traços acentuados de *Agrimony*, concentradas no aspecto externo da personalidade, não querem perceber, nem mostrar, o que vai por baixo da superfície. A superfície tem de parecer perfeita, ainda que reine o caos debaixo dela.

Uma pessoa no estado de *Agrimony* reage como um par de gêmeos siameses, identificando-se apenas com a metade da sua personalidade, alegre e não-problemática. O outro lado é sistematicamente deixado de parte. Fazem-se tentativas de fingir para si mesmo e para os outros que esse lado simplesmente não existe. Em outras palavras: interrompe-se a troca de energia entre os níveis da experiência através do pensamento, e da experiência através do sentimento. Existe a miúdo um estado crônico de guerra entre os dois níveis.

A personalidade no estado negativo de *Agrimony* está sujeita a um duplo erro. Recusando-se a reconhecer grande parte de si mesma, é incapaz de estabelecer contato pleno com o Eu Superior, e, portanto, de reconhecer o programa que a alma traçou para ela. Em lugar disso, age de acordo com suas próprias máximas limitadas, que tendem a ter ênfase material. Mas, como todo ser, continua forcejando por atingir um estado ideal, e, não podendo encontrá-lo no interior, procura-o em circunstâncias externas, que têm certa leveza. A euforia induzida pelo vinho e pelas drogas parece chegar mais perto do que ela deseja, embora, na realidade, esteja muito longe dela, e, em vez de alcançar a clareza da mente, alcança-lhe o oposto, o embaciamento do quadro.

Tanto que a personalidade se reconhece como unidade, e aceita a orientação do Eu Superior, as forças estabilizadoras da própria alma entrarão correndo. Ela ganhará força interior e estabilidade suficiente para enfrentar melhor os problemas de todos os dias. As experiências negativas já não precisam ser suprimidas, mas podem ser integradas na consciência.

No estado positivo de *Agrimony*, temos consciência da natureza relativa de todos os problemas, encontrando dentro de nós o estado radiante, jubiloso, que andávamos procurando no exterior. Uma alegria genuína enche-nos o coração, e traços salientes do caráter, como a capacidade de discriminar, o equilíbrio interno, a sagacidade e a habilidade diplomática podem ser utilizados, para nossa satisfação pessoal e benefício dos outros.

Na prática, *Agrimony* é um dos Remédios Florais amiúde indicados para crianças.

As crianças do tipo *Agrimony* são normalmente alegres, sociáveis, e suas lágrimas secam rapidamente. Quando passam, em seu desenvolvimento, por fases de solidão e tristeza íntimas, como todas as crianças, *Agrimony* pode ajudá-las a comunicar com maior facilidade o que lhes diz respeito. Sugere-se que não mergulhemos demasiado fundo quando estivermos fazendo o diagnóstico de sujeitos do tipo *Agrimony*, mas visemos a um diálogo mais relaxado e congenial.

Entre outros remédios, *Agrimony* tem-se revelado valioso no tratamento da inclinação para a nicotina e para o álcool principalmente.

Sintomas-chave do tipo Agrimony

Fazem-se tentativas de esconder pensamentos torturantes e ansiedade interior por trás de uma fachada de jovialidade e liberação das preocupações.

Sintomas devidos ao bloqueio da energia

- Gosta de viver em paz, numa boa atmosfera; a discórdia e as perturbações no ambiente que cercam a pessoa causam-lhe tensão mental.
- Fará muita coisa "só por amor da paz".
- Fará, praticamente, qualquer sacrifício para manter a paz de espírito, dentro e fora de si mesmo, e evitar confrontações.
- Sua própria turbulência e desassossego interiores estão escondidos por trás de uma máscara de jovialidade e alegria. A divisa é: "sorrir sempre..."
- Dá-se grande importância à impressão que se causa.
- Os problemas são minimizados e não se fala a respeito deles; nem sequer são admitidos quando o assunto é trazido à baila por outros.
- Para escapar aos pensamentos persistentes, atormentadores, está permanentemente à procura de excitação e variedade – cinema, festas, ação de qualquer tipo.
- É sociável, a fim de esquecer as próprias preocupações em boa companhia.
- É o bom amigo, o pacificador, o grande sujeito, a vida e a alma da festa.
- Recorre ao álcool, às bolinhas, às drogas para superar tempos difíceis e abafar pensamentos desagradáveis.
- Precisa estar sempre em movimento, para parar de pensar.
- Doente, minimiza os incômodos; faz piadas até para divertir o grupo de enfermagem.
- Dor e sentimentos internos secretos de solidão na infância; as crianças, porém, normalmente esquecem depressa os seus problemas.

Transformação potencial posterior
- Uniformidade de índole, discernimento, objetividade.
- Alegria interior genuína.
- Otimista confiante, diplomata talentoso, pacificador incansável.
- Capaz de integrar os aspectos menos agradáveis da vida.
- Os problemas são vistos à luz correta.
- Capaz de rir-se das próprias preocupações, pois tem consciência da falta relativa de importância delas.
- Consciente da unidade na diversidade.

Medidas de apoio
- Tire os óculos cor-de-rosa e considere as situações objetivamente.
- Registre conscientemente os conflitos, analisando-os no papel, se for preciso, identificando-lhes os princípios implícitos.
- Tente reconhecer oposições internas em você mesmo e relate-as.
- Prefira a profundidade à amplidão.
- Renuncie aos estimulantes; torne-se menos tomador e mais doador.
- Faça exercícios de ioga para harmonizar o sistema energético.

Afirmações positivas para serem praticadas
"Onde há luz também há sombras. Estou enfrentando os fatos como eles são."
"Estou encontrando paz dentro de mim mesmo."
"Estou até apreciando as horas mais escuras da vida."
"Estou estabelecendo elos entre os diferentes níveis da minha personalidade."

2. ASPEN
Populus tremula

Árvore esguia, que se encontra em toda a parte na Inglaterra. A inflorescência pendente masculina e a inflorescência feminina, menor e redonda, aparecem em março ou abril, antes das folhas.

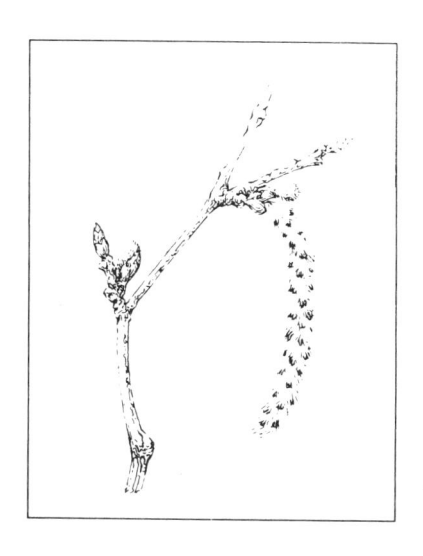

Princípio

O *Aspen* relaciona-se com os potenciais da alma ligados ao destemor, ao domínio e à ressurreição. No estado negativo do tipo *Aspen* a pessoa se vê presa de ansiedades inconscientes.

Diz-se que as pessoas necessitadas do tipo *Aspen* nasceram sem uma camada protetora de pele. A distinção entre a sua consciência da realidade física e os outros planos, particularmente o plano emocional e o astral, é primorosamente sintonizada. Esses planos abrigam não só experiências pessoais emocionais, mas também conceitos coletivos, como contos de fadas e idéias simbólicas, arquétipos, superstições, nossas noções de céu e inferno, e muitos mais. Este é o plano através do qual precisamos passar todas as noites, em sonhos, a fim de alcançar o nível transpessoal de existência, onde podemos estabelecer contato com o Eu Superior, que nos manda forças construtivas e curativas enquanto dormimos.

As pessoas que precisam de *Aspen* são, muito mais do que as outras, inundadas dia e noite por pensamentos e imagens desse plano astral ou emocional, sem que se dêem conta disso. Recebem impulsos inconscientes, que a consciência desperta não identifica, pois a fonte do impulso é desconhecida. Isso dá origem ao medo. Uma espécie de medo misterioso que nos sobe, rastejando, pelas costas, um medo que nos arrepia e nos põe os cabelos em pé. "Estou com medo, mas não sei do quê." "Receio que alguma coisa terrível aconteça, mas não posso imaginar o que seja." Estas são frases típicas. Em casos extremos, padecem-se as torturas do inferno, de que todo o corpo se deixa envolver, com trêmulas bagas de suor, uma sensação de frio no estômago. Mas o medo continua impotente, não há o que se possa fazer. Isso é frustrante e produz mais medo.

É possível figurar os pacientes do tipo *Aspen* paralisados neste ponto do plano astral habitado pelo medo, e incapazes de fazer contato com o Eu Superior, que lhes mandaria forças auxiliadoras. Um estado assim, de ficar confuso, revela-se, não raro, no sonambulismo, no falar durante o sono, ou em pesadelos. Você acorda tomado de pânico e tem medo de voltar a dormir.

As crianças, mais abertas para esses planos do que os adultos, muitas vezes pedem que a porta do quarto fique aberta durante a noite, quando estão em estado de *Aspen*, ou que uma luz permaneça acesa no quarto. Elas temem inconscientemente que a sua idéia de um "espírito mau" ou de um "bicho-papão" possa, de outro modo, tornar-se real.

Muitas pessoas do tipo *Aspen* desenvolvem um medo do escuro para o qual não têm explicação. Algumas sentem um fascínio nervoso, supersticioso, por conceitos ocultistas e mágicos.

A aparência externa de um choupo-tremedor é um símbolo perfeito da sensibilidade extrema do estado do tipo *Aspen*. Basta uma brisa para que as folhas se ponham a farfalhar. Você treme como uma folha de *Aspen*. As pessoas do tipo *Aspen* reagem como um sismógrafo à atmosfera em seu ambiente visível e invisível. Possuem uma antena inconsciente para um conflito em desenvolvimento e para correntes psíquicas nos outros. Às vezes, embora estejam numa companhia alegre, sentem-se tão mal, de um momento para outro, que são obrigadas a retirar-se. As pessoas do tipo *Aspen* registram tudo e isso demanda muita energia: a atmosfera do escritório cheia de conflitos, o *rush* da manhã, a exaustão num ônibus apinhado de gente, o medo da inflação e da guerra — ameaças que pairam no ar. Em contraste, porém, com o estado de *Mimulus*, em que os medos, claramente definidos, podem ser discutidos com outros, os medos do tipo *Aspen* permanecem vagos e indefinidos. Não se lhes pode dar nome algum, e, por conseguinte, é difícil falar sobre eles com outras pessoas.

O indivíduo que tomar *Aspen* verá que o medo e a apreensão começam a diminuir e que a confiança em si começa a aumentar. Torna-se consciente de que, através do plano do medo, existe alguma coisa maior e mais significativa em que estamos, em última análise, encerrados e postos em segurança. Tem consciência de que, atrás e acima de tudo, há uma grande lei divina, o divino poder do amor, tornando desnecessários todos os medos. Essa confiança possibilita o uso consciente do lado positivo da energia do tipo *Aspen*. É a capacidade de sintonizar planos de consciência mais sutis, não-materiais, de explorá-los sem medo, de fazer experiências com eles, e de usar os conhecimentos adquiridos em benefício de nossos semelhantes. Estas são as qualidades, por exemplo, de bons professores, psicoterapeutas e pessoas que trabalham em parapsicologia.

Alguns profissionais recomendam especialmente *Aspen* no tratamento de alcoólicos vítimas de idéias obsessivas, de mulheres violentadas, de crianças maltratadas. Tais acontecimentos podem ser atraídos do plano astral por meio de uma programação inconsciente.

As pessoas "abertas demais" por certas técnicas de meditação em grupo precisam de *Aspen*, bem como qualquer outra que tenha feito viagens de horror em virtude de drogas.

Sintomas-chave do tipo Aspen

Medos vagos, inexplicáveis, apreensões, medo secreto de algum mal iminente.

Sintomas devidos ao bloqueio da energia

- Medo sem fundamento, dia e noite.
- Súbitos ataques de ansiedade quando a pessoa está só ou no meio de outras pessoas.
- Sensação arrepiante de medo, como se a pessoa estivesse enfeitiçada.
- Auto-sugestão, ilusões.
- A imaginação desembesta.
- Fascínio assustador em relação a fenômenos esotéricos, supersticiosos.
- Medo de perseguição, de castigo; medo de uma força ou poder invisível.
- Pesadelos, a pessoa acorda com medo e tomada de pânico, e não se atreve a dormir outra vez.
- Medo de pensamentos e sonhos sobre assuntos religiosos, medo da escuridão e da morte.
- "Medo dos próprios medos", mas não se atreve a falar sobre isso com ninguém.

- Crianças: não querem ficar sozinhas nem dormir no escuro, com medo do "bicho-papão" ou noções semelhantes.
- Acessos de ansiedade, acompanhados de tremores, suores, arrepios.

Transformação potencial posterior
- Capacidade de entrar em planos mais sutis de consciência e, em decorrência disso, introvisão de linhas de pensamento esotéricas e religiosas.
- Acesso a esferas espirituais superiores. A pessoa sente-se atraída por elas e, sem medo, põe-se a explorá-las, sem atentar para possíveis dificuldades.

Medidas de apoio
- Adotar passatempos capazes de "ligar a pessoa à terra", como, por exemplo, cerâmica, cozinha, jardinagem.
- Evitar tudo o que perturba a mente, como, por exemplo, o álcool, a exposição excessiva ao sol, os filmes de horror, etc.

Afirmações positivas para praticar

"Meu coração está cheio de confiança e força."
"Estou nas mãos de Deus."
"Serei guiado, em favor dos meus maiores interesses."
Para crianças: "Tenho um anjo da guarda."

3. BEECH
Fagus sylvatica

Árvore bonita, que alcança uma altura de até 30 metros. Conhecida antigamente como "mãe da floresta". As flores masculinas e femininas desenvolvem-se na mesma árvore, florescendo em abril ou maio, à medida que saem as folhas.

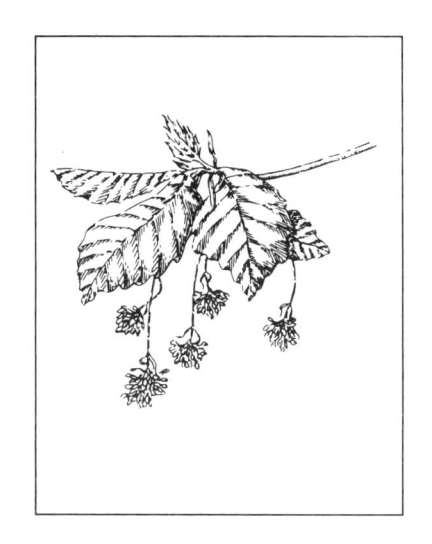

Princípio

Beech relaciona-se com as qualidades da alma ligadas à simpatia e à tolerância. Uma pessoa em estado de *Beech* negativo terá a mente estreita e será dura e intolerante em suas reações. Todos nos encontramos, de tempos em tempos, no estado negativo de *Beech*, em que tendemos a ser arrogantes e altamente críticos, julgando os outros por padrões subjetivos, não raro muito acanhados.

O presunçoso professor Higgins do *Pigmalião* de Bernard Shaw – que quer transformar a florista Eliza, natural e ignorante, numa extravagância lingüística por amor de uma aposta – é um exemplo desse tipo. Totalmente carente em matéria de experiência e não tendo uma pista para entender os sentimentos da mulher, pergunta, perplexo, ao amigo Pickering: "Por que não pode uma mulher ser como um homem?" Tendo suprimido completamente os próprios sentimentos, é incapaz de enxergar a situação de Eliza, e a única coisa que faz é ferir-lhe os sentimentos com a sua ironia.

Outra faceta do estado negativo do tipo *Beech* pode ser visto na caricatura da professora rigorosa e pedante, vestida de cinzento, de costas retas, sempre exigindo ordem, exatidão e disciplina absolutas, pois perdeu de vista, completamente, o fato de que nem toda a gente nasceu com os mesmos dons nem tem o mesmo princípio de vida no que tange aos antecedentes sociais.

O estado negativo de *Beech* é muito bem descrito pelo dito "vê o argueiro nos olhos dos outros, mas não enxerga a trave nos seus". No estado de *Beech* tendemos a projetar-nos demasiado para fora, e temos extrema dificuldade em focalizar experiências interiores, que precisam ser "digeridas". Por isso mesmo, algumas pessoas do tipo *Beech* tendem a ter problemas com a digestão.

Vê-se com freqüência o estado negativo de *Beech* em pessoas de famílias pertencentes a um grupo minoritário reprimido, obrigado a engolir muito ódio, humilhações, decepções e agravos causados ao amor-próprio. Num processo interno de compensação, a família retirou-se deliberadamente para dentro de si mesma e construiu um sistema de valores próprio, que a torna superior aos demais. Nessas circunstâncias, os sentimentos derivados da negação do reconhecimento e da humilhação terão menor impacto, pois são projetados para o mundo externo na forma de crítica e arrogância. A fim de evitar uma exposição exagerada às próprias experiências dolorosas, suprimem-se os sentimentos na medida do possível, suprimindo-se com isso também a possibilidade de perceber os sentimentos alheios.

Neste caso, onde reside o erro? No estado negativo de *Beech*, a personalidade interpretou erroneamente o programa de ensino da alma, recusou-se a aceitá-lo, e rejeitou as experiências negativas que isso lhe traria. Para continuar com a analogia supra, não aceitou o papel de estranha e sofredora, e deixou de fazer frente às experiências penosas da discriminação. Em vez disso, a personalidade desenvolveu seu próprio código de ética, incorporando mecanismos de defesa destinados a abafar a voz do Eu Superior. Em nosso exemplo, desenvolve atitudes críticas e arrogantes, utilizando-as para projetar no mundo externo sentimentos indesejáveis e humilhantes.

Tais projeções negativas são maléficas não só para a pessoa em tela, mas também para a unidade maior. Os pensamentos negativos irritam os circunstantes, projetam-se de volta à personalidade, e podem mostrar-se numa ampla variedade de sintomas de irritação física. A personalidade torna-se rígida, endurece cada vez mais, e não troca energias com o próprio Eu Superior nem com o mundo em derredor.

Assim que a personalidade deixa os limitados juízos de valor e se abre para o Eu Superior, revelam-se, através das energias da alma, padrões mais elevados e maior potencial de conhecimento e de autoconhecimento. A crítica restritiva transforma-se em compreensão, a sensibilidade crítica em relação a outros transmuda-se em sensibilidade autêntica para com os impulsos do Eu Superior. A arrogância muda-se em amor verdadeiro e tolerância; como diz Bach, a tolerância que fez

Jesus pedir pelos que o haviam torturado e crucificado: "Perdoai-lhes, Pai, porque eles não sabem o que fazem."

Existe certo número de princípios que a pessoa inclinada ao estado negativo de *Beech* poderia perfeitamente tomar em consideração. Um deles é o conhecimento de que todos nós somos pequenas eclusas dentro de um ser muito maior e, como tal, só capazes de viver realmente harmonizando-se com o ritmo respiratório e a consciência do ser maior; e não separando-se dele. É também importante compreender que, como a celulazinha só pode entender parcialmente as leis do ser maior, não estamos, de maneira alguma, autorizados a aplicar nossos próprios padrões absolutos.

Finalmente, é essencial conhecer que, em última análise, somos todos meros reflexos de projeções mútuas. Portanto, não devemos projetar nossas próprias apreensões negativas e mecanismos de defesa nas outras pessoas, devendo, ao contrário, tentar olhar para dentro de nós mesmos, à procura das projeções positivas dos outros. Em lugar de ter um sentimento parcial, teremos então um sentimento de unidade, uma camaradagem de almas e harmonia; e isso é o que a pessoa no estado negativo de *Beech* procura no fundo do seu coração, a despeito de atitudes críticas externas. O fato de nos tornarmos conscientes desse sentimento de unidade dentro de nós fará que o mundo exterior nos pareça, de repente, mais harmonioso. Coisas pequeninas deixarão de irritar, porque seremos cada vez mais capazes de reconhecer a unidade que reside na variedade.

O Remédio Floral *Beech* ajuda-nos a restabelecer contato com o nosso Eu e com a Unidade. Afrouxa a rigidez interior e, como os sensitivos afirmaram, traz de volta a alegria, o contentamento e a cor ao sistema energético. No estado de *Beech* positivo somos, mais ou menos, um "diagnosticador tolerante", capaz de usar nossa "visão de raio X" humano e um bom julgamento, construtivamente, para nós mesmos e para as funções na comunidade.

Distingamos a arrogância dos tipos *Vine*, *Beech* e *Rock Water*:

Vine   Entra em ação interiormente, quer prevalecer, compelir. A qualidade negativa implícita da alma é a dominação.
Beech   Mantém-se a distância interiormente, julga, quer estar certo. A qualidade negativa implícita da alma é a intolerância.
Rock Water   Fica fora disso interiormente, mantém-se reservado. A qualidade negativa implícita da alma é o rígido domínio de si mesmo.

Sintomas-chave do tipo Beech

Atitude crítica, arrogância, intolerância. Criticar sem ter a menor idéia dos pontos de vista e da situação dos outros.

Sintomas devidos ao bloqueio da energia

- Incapaz de mostrar compreensão nem paciência pela incompetência alheia.
- Incapaz de perceber os sentimentos dos outros, uma vez que os seus próprios sentimentos estão bloqueados.
- Arvora-se em juiz dos outros, vendo-lhes os erros e condenando-os.
- Só vê o que está errado numa situação, as fraquezas; incapaz de enxergar os resultados positivos que podem sobrevir.
- Não toma em consideração o fato de que nem toda a gente tem as mesmas vantagens e potenciais, e que cada pessoa só pode desenvolver-se de acordo com o próprio potencial interno.
- Tem princípios firmes, estreitamente definidos, e procede interiormente como um severo capataz.
- Reage mesquinha, pedantemente, e, às vezes, de maneira desajeitada.
- Pequeninos gestos e maneiras de falar dos outros irritam-no; o grau de irritação não tem relação alguma com a causa.
- Tenso por dentro, rígido.
- Hipercrítico, propende a manter-se isolado dos seus semelhantes.

Transformação posterior

- Acuidade mental, capaz de captar os diferentes padrões de comportamento humano e desenvolvimento individual.
- Boas faculdades de diagnóstico.
- Tolerante, com os pés no chão, reconhece a unidade na diversidade.

Medidas de apoio

- Seja mais delicado e bondoso consigo mesmo, de modo que possa também ser mais delicado e bondoso com os outros.
- Procure meios físicos de equilibrar a rigidez interna: movimentos brincalhões, danças, etc.

Afirmações positivas para praticar
"Estou fazendo as pazes comigo mesmo e com os outros."
"Estou na outra pessoa e ela está em mim."
"Por detrás de tudo sou capaz de discernir o processo positivo de crescimento."
"Sei que não sei nada."

4. CENTAURY
Centaurium erythraea
(C. umbellatum)

Planta anual muito direita, que tem de 5 a 35 cm de altura, cresce em campos secos, à beira de estradas e em terrenos incultos. As florzinhas cor-de-rosa formam cachos densos, pedunculados, na parte superior da planta. Aparecem entre junho e agosto, e só se abrem em dias claros.

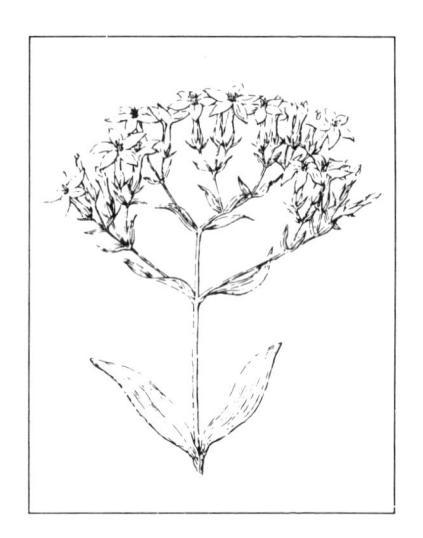

Princípio

Centaury relaciona-se com as qualidades de autodeterminação e auto-realização da alma. No estado negativo de *Centaury*, a relação com a própria vontade da pessoa é fraca.

Crianças com traços acentuados do tipo *Centaury* são de boa índole, agradáveis, receptivas ao elogio e à censura. Raramente constituem um problema para os pais, exceto talvez na medida em que são facilmente exploradas pelos colegas, e, às vezes, sem nenhuma razão aparente, se tornam os bodes expiatórios da escola. Crescidas, sofrem facilmente a influência de outra personalidade, mais forte, que tirará proveito da sua natureza inatamente prestativa, com finalidades egoísticas. A filha mais velha que não se casa porque durante anos se sacrificou para cuidar da mãe doente, é um caso do tipo *Centaury*. Na mesma situação se encontra, por exemplo, o filho que gostaria de ter sido professor, mas se deixou persuadir a tomar conta do negócio paterno de construções, diante da insistência do pai para que a firma continuasse na família (este também pode ser um problema do tipo *Walnut*). Da geração dos nossos avós temos notícia da criada pálida, que trabalha sem cessar, havendo renunciado inteiramente à própria vida para servir aos patrões, ou do velho funcionário da empresa cujos pensamentos, palavras e gestos são os do presidente. *Centaury* é também altamente recomendável para a jovem esposa que vai ao encontro de todos os desejos do "filhinho da mamãe" que é o maridinho, acreditando ser isso amor, e suprimindo servilmente suas necessidades reais a um simples capricho dele.

As pessoas no estado de *Centaury* dizem amiúde, impotentes, encolhendo os ombros: "Simplesmente não lhe posso recusar nada", ou "Eu nunca poderia dizer não". Os estranhos, muitas vezes, sacodem a cabeça vendo a maneira com que uma pessoa do tipo *Centaury* se transforma em verdadeiro capacho.

As pessoas governadas por *Centaury* se queixarão amiúde de cansaço e excesso de trabalho, por terem assumido, no seu desejo de agradar, um número exagerado de encargos. Fora disso, no entanto, não acham penoso o seu estado, deixando de reconhecer-lhe as implicações plenas, e, portanto, deixando também de observar que, com os serviços que prestam aos outros, não estão levando a cabo sua própria missão na vida. O motivo por trás da benevolência ou obsequiosidade nada mais é que o desejo muito humano de reconhecimento e validação.

No estado negativo de *Centaury*, as virtudes magníficas do desejo de ajudar, servir e devotar-se a uma causa mostram uma deformação negativa. Desse modo, erradamente, sem espírito crítico, nos tornamos subservientes a outra pessoa e às suas fraquezas humanas, como uma criança imatura, quando a nossa alma deveria estar servindo a princípios mais elevados.

Para podermos servir aos princípios mais elevados, primeiro que tudo é necessário desenvolver nossa própria individualidade e personalidade, a fim de convertê-la no instrumento da alma. É também necessário reconhecer que a personalidade só pode ser edificada, sustentada e preservada através da vontade. No estado negativo de *Centaury*, um elemento que tende a ser demasiado forte na maioria dos outros estados de alma negativos – a definição ou demarcação da personalidade – é demasiado fraco.

Alguns profissionais consideram *Centaury* a mais sensível de todas as outras qualidades da alma. As pessoas com faculdades psíquicas emergentes entram, não raro, a princípio, num estado negativo de *Centaury*. Ter-se-á verificado um desequilíbrio, com o desenvolvimento mais rigoroso das faculdades psíquicas que o da vontade. Nesse estado, a pessoa é extremamente sensível, sobretudo a energias desarmoniosas. Mostram-se, com facilidade, inseguras, perturbadas e machucadas. Freqüentemente, ficam doentes de repente, sem saber que isto se deve ao seu estado especial.

As pessoas também são vítimas fáceis das influências espirituais mais poderosas quando se encontram no estado negativo do tipo *Cen-*

taury, caindo sob o fascínio de mestres "iluminados". Nos casos extremos, sujeitar-se-ão, submissas, a leis e rituais de grupo, aparentemente necessários, correndo o risco de perder de todo a personalidade, e, com isso, dissipar sua própria e única oportunidade de desenvolvimento pessoal.

A energia de *Centaury* ajudará a restaurar o contato com os poderes da própria vontade, concentrando os potenciais de energia da personalidade e estabilizando-os. Um sensitivo descreveu o modo com que, após a primeira dose de *Centaury*, lhe ocorreu uma sensação poderosa, alinhando os lados esquerdo e direito do corpo, e, especificamente, concentrando-se nos chacras do plexo solar e da tireóide.

No estado positivo de *Centaury*, alguém pode realmente utilizar-lhe as grandes virtudes de devoção e serviço. Capaz de servir a uma boa causa de acordo com suas próprias leis, reconhece também os elementos destrutivos para os quais lhe é preciso dizer não. Tais pessoas se integram bem num grupo, participam dele plenamente, sem renunciar à própria personalidade. Dessa maneira, são capazes, deliberadamente, de se fazerem o instrumento através do qual os poderes divinos podem correr, em benefício de tarefas de maior importância.

Os pacientes em estado negativo de *Centaury* precisam compreender, no decurso da conversação terapêutica, que, na realidade, não estão sempre ajudando os outros quando se precipitam para satisfazer-lhes a vontade, mas, pelo contrário, dificultam o processo de aprendizagem de ambas as partes. Consoante o dito: "Só uma pessoa desonesta dá mais do que tem."

É interessante saber até que ponto o estado negativo de *Centaury* não representa também uma "fuga para a outra pessoa", a fim de escapar do processo do próprio crescimento, o qual, entre outras coisas, envolve igualmente a necessidade de aprender a discriminar e decidir.

Quando a vontade, depois de prolongada enfermidade, fica tão fraca que não pode fazer nada por si mesma, *Centaury* dá nova vitalidade à mente e ao corpo.

Sintomas-chave do tipo Centaury

Vontade enfraquecida, reação exagerada aos desejos dos outros, boa índole facilmente explorada, incapacidade de dizer não.

Sintomas devidos ao bloqueio da energia

- Passivo, vontade fraca, guiado por outros.
- Individualidade maldesenvolvida.

- Disposto, obediente, servil, até subserviente.
- Reage mais aos desejos alheios do que aos seus.
- Permite que o desencaminhem, no desejo de agradar, a ponto de negar-se a si mesmo em casos extremos.
- Às vezes, é um mártir.
- Mais escravo do que auxiliar consciente.
- Vive sob o jugo ou dominação de outra personalidade mais egoísta – pais, cônjuge, superior, etc.
- Deixa-se persuadir facilmente.
- Natureza dócil, facilmente explorada.
- Muitas vezes Gata Borralheira para os outros, ou mero capacho.
- Adota inconscientemente gestos, expressões e opiniões de uma personalidade mais forte.
- Facilmente cansado, pálido, usado até a exaustão.
- Evita disputas, não defende os próprios interesses.
- Tende a dar mais do que tem.
- Superestima facilmente os próprios recursos no desejo de servir.
- Perigo de não realizar sua verdadeira missão.

Transformação potencial posterior

- Sabe quando dizer sim, mas também é capaz de dizer não, se necessário.
- É capaz de integrar-se bem em grupos, etc., mas preserva sempre a própria identidade.
- Presta serviços sábia e discretamente, seguindo seus próprios objetivos interiores.
- É capaz de viver de acordo com sua verdadeira missão.

Medidas de apoio

- Antes de tomar qualquer decisão, pergunte a si mesmo: "Que é o que realmente quero?".
- Toda vez que alguém lhe fizer um pedido, pergunte a si mesmo: "Quais são os seus motivos reais?".
- Proteja mentalmente o plexo solar, por exemplo, imaginando estar colocando um cinto de luz branca.

Afirmações positivas para praticar
"Sou o único responsável pelo meu desenvolvimento."
"Minha tarefa resume-se em me encontrar dentro de mim mesmo."
"Sou capaz de discernir cada vez com mais clareza."
"Salvaguardo minha personalidade e satisfaço às minhas próprias necessidades."

5. CERATO
Ceratostigma willmottiana

Planta florescente dos Himalaias, de cerca de 60 cm de altura. Não cresce em forma silvestre na Inglaterra, mas é cultivada em jardins no interior. As flores tubulares azul-pálido medem cerca de 1 cm de comprimento. Colhem-se em agosto e setembro.

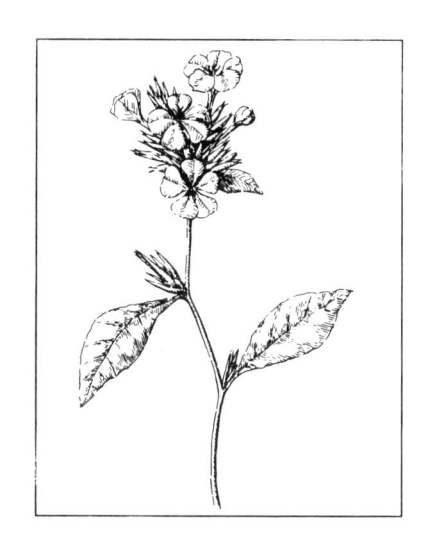

Princípio

Cerato relaciona-se com o princípio da certeza íntima, a "voz interior", a intuição. No estado negativo de *Cerato* surgem problemas na aceitação dos nossos juízos corretos, sem que, na verdade, nos demos conta disso.

É preciso tomar uma decisão: a resposta vem intuitivamente, mas a cabeça, a mente racional, não aceita a resposta intuitiva, e cobre-a rapidamente com todos os tipos de argumentos rotineiros e padrões adotados de comportamento. Alguma coisa que sabemos intuitivamente estar certa não pode ser posta em prática com convicção. Sobrevém um conflito inconsciente, sugerindo dúvidas quanto à correção das nossas próprias decisões; não confiamos na nossa intuição.

O erro de *Cerato* consiste na recusa da personalidade a perceber e reconhecer o papel do Eu Superior. Em lugar de compreender que somente o Eu Superior é capaz de guiar-nos para o que há de melhor em nós, procuramos a resposta no mundo exterior, a miúdo em teorias e doutrinas populares, e na experiência de pessoas muito diferentes de nós.

Os indivíduos que necessitam de *Cerato* estão constantemente dando nos nervos dos outros com suas perguntas sobre problemas subjetivos e questões menores. "Que faria você se estivesse em meu lugar? Sei muito bem, é claro, mas, seja como for, não sinto que possa confiar nisso. A coisa não pode ser tão simples assim. . ." – estas frases são típicas do tipo *Cerato*.

Muitas pessoas no estado de *Cerato* não se conscientizam de maneira alguma, de que, na verdade, sabem muita coisa. Passarão, portanto, a colher mais e mais informações, entesourando-as numa conta de poupanças, em vez de trabalhar com elas. Por causa disso, seus conhecimentos não as ajudarão a adquirir sua própria experiência de vida. E, no entanto, a certeza e a confiança em nossa própria capacidade de decidir só podem advir de uma experiência pessoal autêntica.

As pessoas que estão sempre seguindo as manias correntes de regimes alimentares, sem discutir, ainda que saibam que os regimes não lhes farão bem, acham-se em estado de *Cerato* negativo. "Sei que não me dou bem com cebolas, mas, sem dúvida, se a dieta o afirma, elas *têm* de me fazer bem. . ." Os pacientes do tipo *Cerato* freqüentemente se prejudicam, violentando os próprios julgamentos, e, por isso mesmo, parecem tolos e estúpidos aos outros.

Toda a pessoa que trabalha com *Cerato* perceberá que a sua voz interior está voltando a ficar cada vez mais forte. E quanto mais confiarmos nela, tanto mais claramente ela falará. Verificaremos, para nossa satisfação, que, de repente, todos os conhecimentos necessários estão à nossa inteira disposição no momento certo, de modo que podemos tomar decisões, fazer diagnósticos, interpretações e correlações com rapidez. E surge, então, muitas vezes, um grande desejo de partilhar esses conhecimentos com outros.

O lado positivo da energia de *Cerato* é uma atitude de tranqüila certeza, de modo que nenhum argumento, por mais convincente que possa parecer, nos desviará de uma decisão que reconhecemos ser correta.

Os profissionais afirmam que a vida dos sonhos, não raro, é grandemente estimulada por *Cerato*, e os sonhos são lembrados com maior facilidade.

As sementes para os estados subseqüentes de *Cerato* são amiúde plantadas nos dias de escola, quando o currículo escolar, demasiado exigente, atalha o desenvolvimento da intuição em muitas crianças.

Sintomas-chave do tipo Cerato
Falta de confiança nas próprias decisões.

Sintomas devidos ao bloqueio da energia
- Não confia nos próprios julgamentos.
- Pede constantemente conselhos aos outros.
- Fala muito, dando nos nervos de outras pessoas, ao meter-se na conversa fazendo perguntas.

- Tem sede excessiva de informações.
- Os conhecimentos são acumulados mas não usados.
- Deixa que as decisões dos outros o tornem inseguro.
- Permite a si mesmo ser desencaminhado, contra a sua própria maneira de pensar e para sua desvantagem.
- Precisa da aprovação dos outros.
- Suas opiniões são incertas, mutáveis, vacilantes.
- Parece crédulo ou simplório, até estúpido.
- O sentimento de identidade é fraco.
- Aprecia a convenção, e quer saber o que há "dentro" dela.
- Propende a imitar atitudes alheias.
- Concentração fraca, em virtude da falta de confiança no próprio julgamento.
- Como não confia nos outros, tampouco confia no próprio julgamento.

Transformação potencial posterior

- Intuitivo e capaz de entuasiasmo, curioso, ávido por aprender.
- Capaz de coligir informações, organizá-las e usá-las.
- Sente-se feliz transmitindo conhecimentos.
- Boa coordenação do pensamento abstrato com o concreto.
- Aceita a orientação da "voz interior", confia em si, e defende as próprias decisões.
- Procede judiciosamente.

Medidas de apoio

- Exercícios respiratórios para estabelecer contato com o "centro" do seu ser.
- Estabeleça contato com a natureza; meditação silenciosa na natureza.

Afirmações positivas para praticar

"Voz interior, fale comigo. Voz interior, estou ouvindo-a."
"Tomo nota dos meus primeiros impulsos."
"Somente eu posso decidir o que é certo para mim."
"Confio em minha orientação interior."

6. CHERRY PLUM
Prunus cerasifera

Jovens rebentos sem espinhos de uma árvore ou arbusto que cresce até uma altura de 3 ou 4 metros e que é plantada a fim de proporcionar uma cerca de proteção contra o vento nos pomares ingleses. As flores, de um branco puro, um pouco maiores que as do espinheiro preto ou alvar, abrem-se de fevereiro a abril, antes de aparecerem as folhas.

Princípio

Cherry Plum relaciona-se com o princípio da franqueza e da compostura. No estado negativo de *Cherry Plum*, fazem-se esforços desesperados para suprimir um processo de crescimento espiritual e mental.

O estado negativo do tipo *Cherry Plum* é extremo; sua percepção pode ocorrer num nível plenamente consciente ou num nível semiconsciente. As pessoas cônscias do estado extremo de *Cherry Plum* podem dizer, por exemplo: "Estou sentado num barril de pólvora por dentro, e tenho medo de explodir a qualquer momento," ou "Para meu absoluto horror, vejo-me assediado por pensamentos brutais, como querer pegar uma faca de cozinha e enfiá-la nas costas do meu sócio."

No estado negativo de *Cherry Plum*, as pessoas têm medo de estar se encaminhando para um colapso, perdendo o domínio de si mesmas ou até da mente. Os nervos são esticados a ponto de arrebentar; sentimos uma bomba de tempo tiquetaqueando dentro de nós. Existe o medo de fazermos alguma coisa terrível a qualquer momento, de que nos arrependeremos pelo resto da vida. Forças destrutivas nascem dentro de nós, e sentimos que já não poderão ser controladas.

Homens que combateram em guerras descrevem os estados negativos de *Cherry Plum*, que se instalam depois de dias de bombardeio contínuo nas trincheiras, ou depois de semanas num campo de prisioneiros com interrogatórios perversos. Isso reduz a personalidade de tal maneira que chega um ponto em que ela simplesmente deseja desistir. No estado extremo de *Cherry Plum* existe um perigo real de suicídio, quer no plano físico quer no mental – não menos perigoso. Pinturas medievais, como a Tentação de Santo Antão, em que os poderes do inferno fazem tudo para induzir o santo a capitular, são representações simbólicas do estado negativo de *Cherry Plum*.

Do ponto de vista psicológico, o estado negativo de *Cherry Plum* é causado pelo medo de perder o domínio interior. Fazem-se esforços para impedir que surjam do inconsciente imagens com as quais talvez sejamos incapazes de lidar. Os ensinamentos esotéricos falam da possibilidade de aparecerem elementos cármicos negativos, em virtude do mau uso que se fez dos poderes em outras formas de existência.

À medida que progride o desenvolvimento espiritual, podem desenvolver-se estados negativos de *Cherry Plum* antes de se tomarem medidas decisivas. Pensamentos de suicídio e imagens destrutivas forçam a entrada na consciência, embora não estejam necessariamente vinculados aos sentimentos extremos descritos acima.

Quando a pessoa está no estado negativo de *Cherry Plum*, a personalidade se afasta completamente da orientação do Eu Superior, tornando-se, portanto, incapaz de fazer frente às forças mais poderosas que sente surgirem dentro dela. Reage com medo. Não compreende que existe uma lei, segundo a qual todo desenvolvimento mental e espiritual significa a ativação não só de forças construtivas brilhantes, positivas, mas também, do outro lado da moeda, de forças negativas escuras, destrutivas. Fazem-se diligências ansiosas para manter as forças escuras debaixo da superfície; mas a pressão redunda em contrapressão.

Logo que a personalidade se sujeita à orientação do Eu Superior, é conduzida, através do caos e das trevas, à luz do seu verdadeiro destino, e dali para conhecimentos ainda maiores. Tremendas reservas de energia tornam-se acessíveis. A personalidade passa a ser capaz de suportar adversidades extremas, externas e internas, poderosas bastante para quebrar outras.

No estado positivo de *Cherry Plum*, é possível entrar profundamente no inconsciente e expressar e compreender as percepções intuitivas ganhas ali em termos de realidade. Somos capazes de manejar grandes forças espontaneamente e com calma, fazendo progressos enormes no desenvolvimento.

Na prática, *Cherry Plum* é escolhido, às vezes, já na primeira prescrição. Isso revela o medo fundamental da personalidade de abrir-se mais para o processo de desenvolvimento. O estado negativo de *Cherry Plum* nem sempre é fácil de diagnosticar pelas aparências externas.

Estados mais extremos do tipo *Cherry Plum* não raros se traem pelos olhos esbugalhados, que olham fixamente, e pestanejam menos que o normal.

Cherry Plum tem se revelado útil no tratamento de crianças que molham a cama. Essas crianças controlam-se tanto durante o dia, que só podem deixar as ansiedades internas expressar-se com liberdade urinando espontaneamente à noite, quando não existe o controle consciente do corpo.

Cherry Plum ajuda as pessoas tentadas ao suicídio, em especial as que andaram brincando com essa idéia por algum tempo. Aqui o terapeuta precisa certificar-se de que o paciente se encontra em observação e tratamento orientado por um especialista.

Cherry Plum tem proporcionado bom apoio na reabilitação de viciados em drogas.

Diferenciemos os estados agudos de ansiedade de *Rock Rose* e *Cherry Plum*:

Rock Rose   Estados extremos de terror, perceptíveis de fora.
Cherry Plum   O medo dos próprios conflitos subconscientes é guardado no interior, tanto quanto possível.

Sintomas-chave do tipo Cherry Plum

Medo de desfazer-se por dentro; medo de perder a cabeça; medo de perder o controle; explosões descontroladas de mau gênio.

Sintomas devidos ao bloqueio da energia

- Sente que já não é capaz de pôr a funcionar os mecanismos do controle interior.
- Desesperado, está na iminência de sofrer um colapso nervoso.
- Receia poder fazer alguma coisa terrível contra a própria vontade.
- Contrariando sua disposição normal, impulsos brutais aparecem; teme ter de fazer alguma coisa que normalmente nunca faria.
- Medo dos poderes incontroláveis da mente e do espírito.
- Medo de estar ficando louco, de sofrer um colapso, de precisar ser internado numa instituição.
- Sente uma bomba interior de tempo tiquetaqueando.
- Brinca com a idéia de pôr-lhe um fim.
- Idéias compulsivas, ilusões.

- Explosões súbitas e não-controladas de raiva, sobretudo nas crianças, que se atiram ao chão, batem com a cabeça na parede, etc.
- Os pais se preocupam com a possibilidade de bater nos filhos, de correr o risco de dispensar maus tratos a crianças.

Transformação potencial posterior
- Coragem, força, espontaneidade.
- Capaz de penetrar profundamente no subconsciente e integrar em sua vida as percepções intuitivas ali adquiridas.
- Ligado a um poderoso reservatório de força espiritual.
- Capaz de passar pela maior tortura física e mental sem "ferir a alma".
- Capaz de grande introvisão espiritual, de reconhecer a verdadeira meta da vida, de fazer tremendos avanços no desenvolvimento.

Medidas de apoio
- Encontre coragem para abrir-se e "mergulhar".
- Pratique o mergulho também no sentido físico, por exemplo, da prancha de 3 metros da piscina.
- Introduza elementos divertidos e espontaneidade em sua vida.
- Faça exercícios de ioga para equilibrar o chacra da tireóide.

Afirmações positivas para praticar
"Estou dispensando os conceitos 'controladores'."
"Minha energia está à minha disposição."
"Aceito a orientação interior."
"Estou cumprindo a missão da minha vida."

7. CHESTNUT BUD
Aesculus hippocastanum

A mesma árvore também fornece a Essência das flores do Castanheiro-branco; no caso presente, utilizam-se os botões lustrosos, cuja camada externa resinosa, de 14 escamas imbricadas, envolve tanto a flor quanto as folhas.

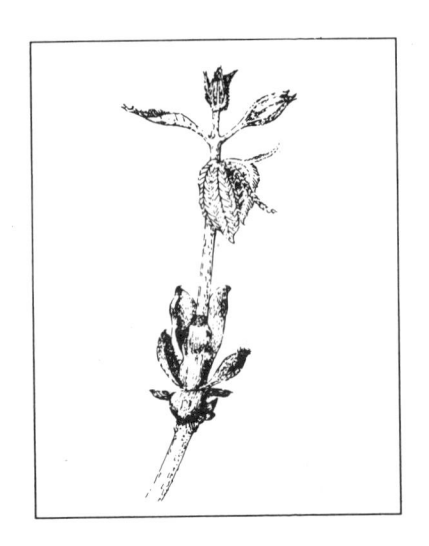

Princípio

Chestnut Bud relaciona-se com os potenciais da alma ligados à capacidade de aprendizagem e materialização. No estado negativo do tipo *Chestnut Bud* há problemas para encontrar a maneira certa de coordenar o mundo interior do pensamento com a realidade física.

Uma pessoa no estado negativo de *Chestnut Bud* tende a repetir os mesmos erros, e, aos olhos dos que a cercam, nunca aprende com a experiência. Uma mulher, por exemplo, insistirá em comprar blusas de um certo matiz cor-de-rosa, embora saiba que elas não lhe ficam bem, e provavelmente tem mais cinco blusas quase idênticas, penduradas no guarda-roupa, que nunca usa. Perguntada por que faz isso, responderá, um tanto quanto encalistrada: "Sim, é gozado, sempre me sinto inclinada a essa cor..."

Exemplo semelhante é o do solteirão despreocupado, que acaba de romper com a terceira namorada no espaço de um ano. Mas, afinal, indagam os amigos, por que não ficou logo com a primeira? "É isso mesmo que me pergunto," responde ele, "mas todos os meus casos acabam assim."

É difícil para uma pessoa no estado negativo de *Chestnut Bud* fazer avaliações provisórias de uma situação e utilizar realmente as experiências de modo que lhe aproveitem no futuro. Em vez disso, sente o desejo ardente de entrar em aventuras novas, na base de ensaio e erro, e o fim será quase sempre o mesmo. Em geral, essas pessoas não se sentem sequer particularmente infelizes com a situação.

Pode acontecer, no entanto, que ocorram enfermidades periódicas no correr da vida, como, por exemplo, crises de enxaqueca, que aparecem depois da mesma discussão sobre o mesmo assunto com a mesma pessoa. Ou uma úlcera duodenal, que sempre se fará sentir sob as mesmas tensões ocupacionais, pontual como um relógio. "Seja o que Deus quiser", dizemos no estado negativo de *Chestnut Bud*, comprando mais algumas pílulas em lugar de perguntar a nós mesmos que conexão pode haver entre a úlcera duodenal e a nossa atitude para com a situação de trabalho. Não nos ocorre a idéia de perguntar aos colegas que experiências tiveram no mesmo sentido, a fim de obter novos pontos de vista.

Uma pessoa no estado negativo de *Chestnut Bud* lembra um cavaleiro que, num torneio, usando antolhos, sempre galopasse na direção do mesmo obstáculo, e falhasse seguidamente na tentativa de transpô-lo. Os circunstantes teriam a impressão de que a mesma seqüência de um filme estaria sendo repetida muitas e muitas vezes. Não há progresso, não há desenvolvimento. O filme só continuará se o cavaleiro desmontar e refletir sobre o motivo por que continua falhando naquele obstáculo, perguntando a si mesmo onde deve fazer uma mudança fundamental. Depois que o tiver descoberto, saltará a barreira com facilidade, e a história do filme poderá prosseguir.

Os de fora sentem com freqüência que as pessoas do tipo *Chestnut Bud* estão tentando fugir de si mesmas, recusando-se obsessivamente a enfrentar o passado, e a própria vida. Incapazes de se beneficiarem da experiência anterior, se vêem, reiteradamente, de mãos vazias. Nada há que lhes permita fundamentar suas decisões atuais, nem estabelecer nenhum princípio sobre o qual possam edificar para o futuro.

É como se a personalidade estivesse, erroneamente, lançando um desafio infantil ao Eu Superior, recusando-se a ser guiada por ele, como se, às vezes, ela quisesse gazear a escola da vida. Inteiramente obstinada, afasta-se dos verdadeiros processos energéticos. Insiste em "agir por si mesma", em lugar de abrir-se e deixar-se carregar pelo processo energético maior.

Quando estamos no estado negativo de *Chestnut Bud*, precisamos aprender a mover-nos com os outros peixes do nosso cardume, em vez de ficar nadando de um lado para outro no meio do rio, como se estivéssemos em nosso próprio aquário pessoal. Precisamos compreender que não podemos voar do passado para o futuro, pois o futuro é sempre apenas o espelho do passado, e o nosso verdadeiro desenvolvimento está se verificando agora, no presente. Por conseguinte, não podemos fugir do passado, que estará sempre e sempre nos alcançando.

Chestnut Bud parece ser um estado de energia muito jovem, relativamente falando, e, com efeito, é amiúde indicado no tratamento de crianças. Essas crianças aparecem caracteristicamente distraídas e desatentas, embora não deixem os pensamentos vagar em sonhos e fantasias, como acontece com as crianças do tipo *Clematis*. Parecem simplesmente incapazes de prestar atenção. Desse modo, apesar de serem advertidas, vivem se esquecendo de levar o lanche da escola, por exemplo. Escrevem errado as mesmas palavras num ditado, e não conseguem ombrear com os seus iguais.

Chestnut Bud ajuda a conseguir melhor coordenação entre a atividade do pensamento interior e a situação material tal qual é. Devagar, mas com segurança, a pessoa aprende a pensar nas coisas tranqüilamente, sem pressão. Começa a aprender com a própria experiência e com a dos outros, para o futuro. Distancia-se de si mesma, e isso lhe permite ver-se como a vêem os outros. Nessa base, novas coisas podem ser aprendidas e a vida gozada outra vez.

Sintomas-chave do tipo Chestnut Bud

Repetição dos mesmos erros, uma e muitas vezes, porque as experiências, na realidade, não são assimiladas e com elas não se aprende o suficiente.

Sintomas devidos ao bloqueio da energia

- Os mesmos erros repetem-se muitas e muitas vezes, os mesmos argumentos, os mesmos acidentes, etc.
- Parece muito lento em aprender com a vida, seja por falta de interesse, por indiferença, por pressa interior, seja por falta de observação.
- Não extrai o bastante da experiência, os acontecimentos não são reconsiderados com profundidade suficiente.
- Tenta esquecer experiências desagradáveis o mais depressa possível.
- Prefere atirar-se a novas aventuras, em lugar de deixar que as aventuras passadas surtam algum efeito real.
- Nunca pensa em aprender com a experiência alheia.
- Parece ser ingênuo, atrapalhado, desatento.
- Alunos lerdos, bloqueios mentais, desenvolvimento retardado.

- Moléstias físicas aparecem regularmente, em intervalos periódicos, sem que se saiba por quê.

Transformação potencial posterior

- Mentalmente flexível, bom aluno.
- Mentalmente ativo, também aprende pela observação do comportamento dos outros.
- Segue os acontecimentos da vida com atenção, tomando nota sobretudo do que é negativo e dos próprios erros.
- A atenção sempre focaliza o presente, e cada experiência é um ganho interior.
- Saca o melhor do que a vida diária tem para dar.
- Capaz de ver-se a si e às próprias faltas a distância, como os outros as vêem.

Medidas de apoio

- Toda noite reveja o dia que passou e decida: Que novas coisas aprendi? Que farei de diferente da próxima vez, e como?
- Dedique-se a passatempos capazes de "ligar à terra" uma pessoa, jardinagem, cerâmica, etc.

Afirmações positivas para praticar

"Estou aprendendo alguma coisa nova com cada experiência."
"Estou compreendendo, cada vez mais depressa, o que vem na minha direção, reconhecendo erros possíveis."
"Vejo as coisas como elas são."
"A calma interior está me sustentando no presente."

8. CHICORY
Cichorium intybus

Planta perene de muitos ramos, que alcança 90 cm de altura, encontrada no saibro, em terrenos cascalhentos, gredosos e incultos, e à beira de estradas e campos. Somente umas poucas flores estrelárias, de um azul brilhante, se abrem ao mesmo tempo. Delicadíssimas, murcham logo que são apanhadas.

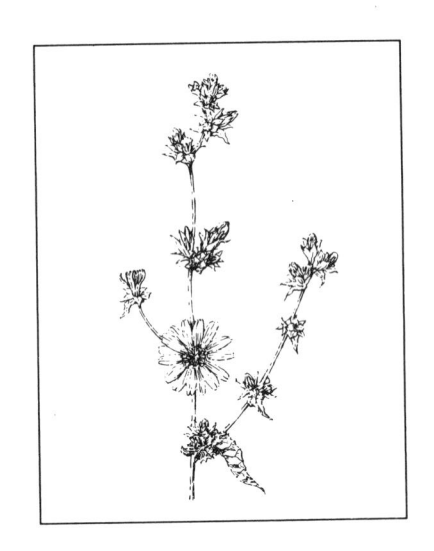

Princípio

Chicory relaciona-se com os potenciais da alma ligados à maternidade e ao amor desinteressado. No estado negativo de *Chicory*, estas qualidades se tornam negativas, concentrando-se egoisticamente no eu.

Você é convidado para uma festa e a pequena Gemma, de nove anos de idade, abre a porta. Ela tem um semblante meigo, cachos longos de cabelos e o primeiro vestido comprido. Encantadora. Os outros convidados também pensam assim. Gemma goza o seu sucesso, agindo como uma jovem estrela de cinema. Pouco a pouco, entretanto, os convivas começam a discutir assuntos mais adultos, e isso parece não se ajustar a Gemma. A pretexto de acabar de encher-lhes os copos de bebida, ela se movimenta, graciosa, entre um grupo e outro, tentando participar da conversação de todos. Quando soam as dez horas e a mãe entende que já é tempo de Gemma ir para a cama, a sua compostura se desmancha. Ela se põe a chorar mais ou menos ruidosamente, tornando a atrair a atenção geral. Eis aí o comportamento típico de uma criança do tipo *Chicory*.

Muitas crianças precisam de *Chicory*. A gente as distingue desde o berço porque estão sempre chamando a atenção da família, com lágrimas de contrariedade quando deixadas sozinhas. Crescendo, e constatando que as lágrimas já não as levam a parte alguma, recorrem a truques novos. Usarão de todos os recursos, da lisonja à vontade de ajudar, e até ficando doente e valendo-se de uma extorsãozinha: "Farei os deveres de casa, mas só se não tiver de ir à aula de educação física amanhã."

Chicory é um estado de alma negativo, que não pode passar despercebido, e esgota as energias de toda a gente. Ocorre em ambos os sexos e em todas as idades, e é sempre uma questão de ganhar influência, fazer exigências, não desejando desfazer-se de idéias, coisas e sentimentos.

As pessoas no estado negativo de *Chicory* esperam muito dos outros. O exemplo clássico é o da "supermãe", que mantém presos os filhos com tentáculos invisíveis, traumatizando por toda a vida os que têm a vontade mais fraca, sempre preocupada com os negócios da família e com o seu grande círculo de relações. Está constantemente querendo interferir, organizar, criticar, ordenar e dirigir como disciplinadora rigorosa. Encontra a todo momento alguma coisa para endireitar, sugerir ou criticar. O seu mote: "Só estou dizendo isso porque lhe quero bem."

Amiúde incrivelmente prestativa, quase impõe suas atenções à família – e ai dela se não forem aceitas com gratidão. Os caracteres do tipo *Chicory* gostam de ter uma espécie de orgulho possessivo nos sentimentos e na vida dos entes queridos.

As mães do tipo *Chicory*, na verdade, só se sentem felizes quando estão entre os seus, e os filhos crescidos têm de percorrer longas distâncias nos domingos e feriados para não desapontar mamãe, e, se tentarem contrariar o processo, serão tantas as maquinações e telefonemas que eles acabarão cedendo.

Nem todo filho acha fácil libertar-se de um amor de mãe tão possessivo. Alguns filhos e suas famílias permanecem debaixo do domínio materno por anos e anos, deixando de alcançar fases importantes no desenvolvimento de suas relações conjugais. Quando um filho encontra a energia para libertar-se, a mãe do tipo *Chicory* expressará claramente a sua decepção: "Como é que você tem a coragem de fazer uma coisa dessas comigo, depois de tudo o que fiz por você", queixa-se ela, cheia de autocomiseração.

Em casos muito extremos podem desenvolver-se sintomas histéricos no estado negativo de *Chicory*, para ganhar a atenção e a afeição dos demais. Como se desenvolve uma atitude deploravelmente defeituosa como essa?

Atrás de cada estado de *Chicory* há uma profunda falta de realização, um vazio interior, não raro o sentimento de ser indesejado e nunca ter sido amado adequadamente. Não é incomum, no caso de crianças assim, terem tido uma infância sem amor. Alguns descrevem o sentimento como um buraco escuro, ou um barril sem fundo, que precisa ser enchido de afeto, reconhecimento e auto-segurança muitas e muitas vezes. Usa-se uma vontade poderosa e toda a habilidade manipulativa para satisfazer a essa necessidade, no estado negativo de *Chicory*. Sendo a pessoa incapaz de dar algum amor nesse estado vazio, subsiste nela um sentimento de incerteza interior e medo de todos os tipos de perdas. Se se evocarem, os sentimentos estarão sempre acompanhados de uma exigência como esta: "Eu o amo, com a condição de que..." Um profissional inglês ligado ao método do Dr. Bach descreveu com acerto o estado negativo do tipo *Chicory* como o da "mãe necessitada" (diferente da "criança necessitada" do tipo *Heather*).

As pessoas do tipo *Chicory* têm potencial para uma grande força interior e uma capacidade de amor verdadeiro, e isso pode ser trazido à vida se estivermos preparados para fazer a mudança interior. Urge que se compreenda que o buraco negro só pode ser enchido pela fonte de amor que emana do nosso coração e jorra de nossa alma, sem cessar. Assim que se ouve a ordem da alma e se dedica a atividade desinteressadamente ao serviço de outros e ao todo maior, verificar-se-á que a fonte do amor divino começa a fluir, e um poder e segurança tremendos surgem no interior. Já não será necessário ganhar a afeição e o amor pela força, pois eles virão de moto próprio. Tampouco será necessário temer por mais tempo a perda dessa afeição, já que a fonte da alma interior nunca deixa de fluir.

O próprio Dr. Bach comparava o estado positivo do tipo *Chicory* ao arquétipo da "mãe universal", o potencial da alma materna que jaz latente em todo ser humano, tanto no homem quanto na mulher. Os mestres esotéricos adiantaram a hipótese de que muita gente está entrando num estado negativo do tipo *Chicory* porque aqui, no Ocidente, foi suprimido um número demasiado de facetas da grande energia maternal arquetípica, e a atenção focalizada apenas no aspecto mais aceitável, o da "virgem", como o que foi encarnado, por exemplo, na Virgem Maria. Outro pensamento esotérico interessante é que as pessoas que, durante muitas vidas, estiveram sob a influência oniabrangente da "mãe igreja" estão particularmente predestinadas a estados negativos de *Chicory*.

No estado positivo de *Chicory*, a grande energia maternal pode ser fluída positivamente, e é possível abeberar-se em fontes ricas, dar desinteressadamente, sem nada esperar em troca, nem mesmo em nosso coração. Dedicamo-nos realmente aos interesses alheios. Estendemos asas de calor, bondade e segurança, proporcionando abrigo para os outros.

Sintomas-chave do tipo Chicory

Atitude possessiva, interferindo excessivamente e manipulando secretamente. Exigindo apoio total dos circunstantes, e caindo na autocomiseração quando não vê satisfeita a sua vontade.

Sintomas devidos ao bloqueio da energia

- Egoísta, dominador; exige muito, o que enerva os outros.
- Presta atenção às necessidades, desejos e progressos da família e do círculo de amigos, como disciplinador menor.
- Sente prazer em fazer comentários constantes sobre coisas, corrigindo, criticando.
- Precisa ter "entes queridos" à sua volta, como uma corte, a fim de lhes monitorar e dirigir discretamente a vida.
- Faz tudo pelos outros, obrigando-os praticamente a aceitar suas boas ações. Mote: "Você o terá, ainda que isso o mate!"
- Egoísmo, amor condicional: "Eu o amo, contanto que..."
- Com certo orgulho íntimo de propriedade, brinca com a afeição oferecida por outros.
- Brincando de diplomata, manipula e habilmente consegue angariar a vontade de outrem, ou conservar sua influência sobre ele.
- Chantagem emocional.
- Quer manter laços emocionais que já tiveram o seu momento, como, por exemplo, o relacionamento entre mãe e filho, a situação entre noiva e noivo, etc.
- Acha difícil perdoar e esquecer.
- Medo secreto de perder amigos, relações ou propriedades.
- Sente-se facilmente desprezado, deixado para trás ou ferido.
- Exagera na descrição do seu "suplício".
- Pode recorrer à doença, em determinadas ocasiões, para ganhar simpatia ou lograr os seus fins.
- Fica muito zangado quando as coisas não correm de acordo com seus desejos, possivelmente bancando o mártir; pode debulhar-se em lágrimas diante da ingratidão alheia.
- Fala do que "o outro me deve".
- Supermães, seguram com firmeza as rédeas da família.
- Crianças constantemente necessitadas de atenção, não gostam de ver-se independentes, agarram-se, etc.
- Evita o contato físico com os outros.

Transformação potencial posterior
- "A mãe eterna" (arquétipo).
- Dedica-se aos outros com muito amor e devoção.
- Dá sem nada esperar em troca ou sem precisar disso.
- Calor, bondade, sensibilidade; seguro de si.
- Proporciona segurança e um sentido de proteção aos outros.

Medidas de apoio
- Faça exercícios de relaxação física.
- Faça uma massagem.
- Faça exercícios de respiração para estimular o chacra do coração.

Afirmações positivas para praticar
"Dou sem exigir."
"Deixo sair aquilo a que me estive agarrando."
"Respeito o território de todo indivíduo."
"Estou me abeberando em minhas ricas fontes."
"Estou encontrando segurança dentro de mim mesmo."
"Estou me abrindo para a fonte divina que existe dentro de mim."

9. CLEMATIS
Clematis vitalba
(nome popular, *traveller's joy*: a alegria do viajante)

Trepadeira silvestre, encontrada em solos gredosos e de pedra calcária, em taludes, sebes, bosques cerrados e matas. O caule da planta mais velha chega a 12 metros de comprimento e tem forma de corda. Floresce de julho a setembro. As flores fragrantes são circundadas de quatro sépalas penugentas, de um branco esverdeado. No outono, os estames desenvolvem-se em longos fios prateados, como filamentos semelhantes aos cabelos de um velho, de onde lhe advém também o nome popular de *old man's beard* [barba-de-velho].

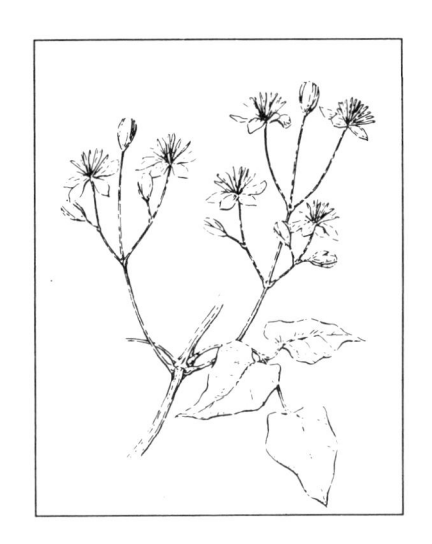

Princípio

Clematis relaciona-se com o potencial da alma ligado ao idealismo criativo. No estado negativo de *Clematis*, a personalidade procura tomar a menor parte possível na vida real, recolhendo-se ao seu próprio mundo de rica imaginação.

Você encontra a filhinha do vizinho na rua. Ela fita-o com grandes olhos distantes, sem mostrar o menor sinal de reconhecimento – tipicamente *Clematis*. E o nosso professorzinho distraído, de nove anos de idade, está fisicamente conosco no almoço, mas, em seus pensamentos, viaja através do espaço, comandando uma nave espacial. E depois temos a violinista da casa ao lado, uma senhora que parece ligeiramente indiferente e desajeitada na vida cotidiana. Ela também é uma pessoa do tipo *Clematis*.

"É mesmo? Não me diga!" Eis aí uma frase que se ouve com freqüência de uma pessoa do tipo *Clematis*, pois ela não está realmente interessada no que outra pessoa quer dizer-lhe, visto que se acha em outro lugar com os seus pensamentos.

As pessoas no estado de *Clematis* vagueiam entre os mundos. A realidade pouco as atrai, e, sempre que possível, elas se retiram do presente doloroso, e vão para os seus castelos construídos no ar. Quando as coisas parecem estar ficando desagradáveis, ou mesmo difíceis, elas fazem amiúde sugestões totalmente irrealistas a respeito de uma possível solução, diante do cônjuge horrorizado, ou se entregam a ilusões idealísticas.

No estado negativo de *Clematis*, a personalidade, aparentemente, dá pouca importância à realidade física. Essa também é uma das razões por que pode haver tão pouca energia disponível no nível físico. A pessoa muito precisada do tipo *Clematis* tende a ter as mãos e os pés frios, e a sentir a cabeça, às vezes, completamente vazia. A memória pode ser fraca, e as minúcias só são recordadas com dificuldade. Ela precipita-se para a cozinha, esbarra na ombreira da porta por causa da fraca orientação corporal, e depois, já na cozinha, não se lembra do que tinha ido fazer lá.

Preferindo dirigir os próprios "filmes" em seu "cinema interior", a participar do grande palco do mundo da realidade, a pessoa do tipo *Clematis*, mais cedo ou mais tarde, pode apresentar problemas de visão ou audição. Sua abstração tenderá a envolvê-la em acidentes de tráfego. As pessoas no estado de *Clematis* gostam de dormir um sono longo e profundo, deliberadamente, e, às vezes, inadvertidamente, até quando assistem à televisão, a uma conferência ou durante um sermão. Sua animada vida interior não lhes deixa muito poder de concentração para o assunto em tela. As pessoas do tipo *Clematis* sempre parecem um pouco sonolentas. Na realidade, nunca estão completamente despertas.

Sendo a maior parte da sua energia psíquica utilizada em planos interiores, nunca veremos uma pessoa do tipo *Clematis* tornar-se violenta. Demonstra pouca agressividade ou ansiedade. As boas notícias são freqüentemente recebidas por ela com a mesma irritante indiferença com que recebe as informações desfavoráveis.

Quando a pessoa do tipo *Clematis* fica doente, o médico tem o seu trabalho dificultado, pois o instinto de conservação da pessoa é fraco, como é fraco também o desejo de sarar. Temos, às vezes, a impressão de que os pacientes do tipo *Clematis* não fazem muita objeção a partir desta para melhor, desejosos talvez de unir-se de novo a alguém que amam. Edward Bach chamou o estado de *Clematis* de uma forma polida de suicídio. O romântico movimento do anseio-pela-morte, que se registrou por volta do fim do século XIX foi um exemplo perfeito do estado negativo de *Clematis*.

As pessoas do tipo *Clematis* revelam, às vezes, maior potencial criativo do que a pessoa comum. Por isso mesmo, dedicam-se a ocupações em que se produzem sonhos, como no comércio da moda, na indústria do cinema e no jornalismo. Se o seu potencial criativo não puder manifestar-se, surgirá quase automaticamente um estado negativo de *Clematis*, em que a energia criativa assumirá formas como o romantismo exagerado, a excentricidade, e todos os tipos de ilusões.

Muitas pessoas no estado negativo de *Clematis* gostam de expressar esperanças de um futuro melhor, quando, afinal, os verdadeiros ideais humanos serão realizados, exatamente como muitas pessoas esperam agora o colapso total no caos, na expectativa de que este seja, finalmente, seguido de uma "nova idade", um novo milênio.

O problema está em que a personalidade no estado negativo de *Clematis* não reflete que o futuro é sempre modelado no presente, e que uma visão mais elevada planejou essa missão para envolver toda a energia, todas as mãos, todas as cabeças e todos os corações. A pessoa que simplesmente se afasta e espera o momento que virá não somente fará mal ao grande todo, como também terá compreendido mal a intenção da própria alma e o sentido da sua vida na terra.

Se a personalidade se abrir para a sua verdadeira missão, verá, cada vez mais, as conexões reais entre o mundo físico e o mundo espiritual, e o sentido mais profundo de tudo o que acontece. Com isso, a sua vida real se tornará mais interessante a cada dia que passa.

A energia positiva de *Clematis* pode ser vista em pessoas que têm o controle da sua imaginação fértil e são capazes de fazer que ela seja fruída proveitosamente no mundo material, enriquecendo o mundo que as cerca com a beleza e a sensibilidade dos seus pensamentos e ações, como artistas, curadores e idealistas práticos, por exemplo.

Clematis pode ser usado como remédio a longo prazo, mas também pode ser útil no caso de estados mentais ou físicos passageiros, em que a alegria, a tristeza ou as circunstâncias físicas desviam a consciência da situação presente.

As pessoas típicas de *Clematis* são até menos capazes de tolerar drogas psicotrópicas, experiências com drogas e perda de sono do que a pessoa comum. Alguns profissionais usam *Clematis* para prevenir a ameaça de infecção, porque ela robustece os laços entre o corpo físico e os outros níveis.

Mostra a experiência que, entre outras flores, *Clematis* tem ajudado casais a conceberem quando não havia nenhuma razão orgânica para a ausência de filhos.

Sintomas-chave do tipo Clematis

Sonhador; pensamentos sempre em outro lugar; escassa atenção ao que acontece à sua volta.

Sintomas devidos ao bloqueio da energia

- Perdido nos seus pensamentos, distraído, raro plenamente acordado.
- Desatento, disparatado, fantasioso.
- Nenhum interesse agudo pela situação presente, vive mais em seu próprio mundo de fantasia.
- "Errante entre os mundos", freqüentemente não se sente em casa na realidade.
- Idealista, espera um futuro melhor; o interesse pelo presente, portanto, é indiferente.
- Parece um tanto confuso, um pouco desorientado.
- Alimenta idéias irreais e ilusórias quando sobrevêm problemas.
- O olhar sem concentração e os olhos de visionário são típicos.
- Parece sonhador e nunca inteiramente desperto.
- Reage com a mesma indiferença às boas e más notícias.
- Raras vezes alguma agressão ou ansiedade, porque não está todo no presente.
- Falta de vitalidade, apático, de quando em quando muito pálido.
- Experimenta facilmente a sensação de mãos e pés frios ou "mortos", ou a sensação de vazio na cabeça.
- Sensação de flutuação, não raro sentindo-se dopado, como anestesiado.
- Precisa de muito sono, gosta de dormir, cabeceia nos momentos mais esquisitos.
- Desfalece com facilidade, tendência para desmaiar.
- Fraca imagem do corpo, propende a se chocar com as coisas.
- Memória fraca, não tem o sentido do pormenor, porque, desinteressado, não se esforça para prestar a devida atenção.
- Sujeito a apresentar problemas de visão ou de audição, pois os olhos e os ouvidos são mais ligados ao interior do que ao exterior.
- Mostra pouco desejo de sarar depressa quando está doente; o instinto físico de conservação é fraco.

- Em certas ocasiões não faz objeção a morrer, embora não tenha intenções suicidas ativas.
- Imaginativo, artístico, romântico, excêntrico, mas desajeitado na vida cotidiana.
- Dons criativos não aproveitados; detentor de dotes artísticos, exerce cargos vulgares só para prover à sua subsistência.
- Grande atração pela forma, pela cor, pelos sons e pelas fragrâncias.

Transformação potencial posterior
- Tem o domínio do mundo das idéias e encontra, todos os dias, novo interesse pelo mundo real, porque as conexões entre os diferentes mundos e o sentido mais profundo por trás deles são compreendidos e aceitos.
- Decidido a dar à criatividade expressão física, como escritor, ator, desenhista, etc.

Medidas de apoio
- Dedique-se a passatempos criativos, para transformar potencial criativo não usado em forma física, como, por exemplo, na tecelagem, na pintura.
- Preocupe-se ativamente com o princípio "assim dentro, como fora", tanto na teoria quanto na prática.
- Faça exercícios de ioga para fortalecer o corpo etérico.
- Muita luz e muito sol.

Afirmações positivas para praticar
"Estou percebendo cada vez mais as conexões entre o mundo interior e o exterior."
"Minha missão relaciona-se com o aqui e agora concreto."
"Estou pondo em prática minhas aspirações."
"Estou me agregando."

10. CRAB APPLE
Malus pumila ou *sylvestris*

Provavelmente uma macieira cultivada, que se tornou silvestre. Deita uma coroa de rebentos curtos, semelhantes a espinhos. Altura máxima: 10 metros. A árvore cresce em sebes arbóreas, clareiras de bosques e matas. As pétalas cordiformes são de um rosado rico por fora, e brancas por dentro com apenas laivos cor-de-rosa. Floresce em maio.

Princípio

Apple relaciona-se com a esfera da ordem, da pureza e da perfeição. *Crab Apple* é amiúde o estado de pessoas que têm idéias muito definidas sobre como devem ser o mundo que as rodeia, o seu corpo e a sua vida interior – sem mácula.

O que quer que não esteja à altura desse ideal de pureza pessoal as confunde e perturba. Entristece-as, deixa-as, por vezes, desesperadas, e, no caso extremo, enche-as de aversão por si mesmas. Isso pode ser um pensamento negativo que elas, na verdade, não queriam que viesse à tona, um reparo cáustico que lhes escapou, a despeito da sua verdadeira natureza interior. Pode ser uma manchazinha inofensiva no rosto, que as perturba tanto que elas, realmente, gostariam de ir direto a um dermatologista. Ou podem ser os dois centímetros de papel de parede que faltam na sala recém-decorada, de modo que elas não conseguem pensar em outra coisa senão em sair correndo para ir comprar outro rolo de papel e rematar a decoração. Seja lá o que for, é geralmente alguma coisa de importância muito relativa, comparada com a soma de energia interior que por ela se despende.

A personalidade volta a errar quando escolhe o ponto de vista errado. As minúcias são colocadas debaixo da lente de aumento dos nossos conceitos mentais limitados, e ficamos presos e perdidos nos pormenores, deixando finalmente de ver a floresta para ver as árvores. Se fôssemos capazes de adotar o outro ponto de vista e abrir-nos, através do Eu Superior, para princípios mais elevados de ordem, automaticamente ganharíamos distância, veríamos as coisas em sua perspectiva correta, e logo ficaríamos em paz de novo.

Entretanto, é mais fácil dizê-lo do que fazê-lo, em se tratando de pessoas necessitadas de *Crab Apple*. Elas propendem a ser mais do que costumeiramente sensíveis, deixando entrar muito mais, em níveis mais sutis, do que a sua constituição geral lhes permite enfrentar. Esse estresse inconsciente lhes dá, não raro, a sensação de estar sujos, constipados ou necessitados de purificação. Se os meios espirituais de purificação não lhes forem conhecidos, procurarão livrar-se dessas coisas por meios físicos. Isso assume, com freqüência, formas grotescas: lavagem constante das mãos ou meia dúzia de chuveiradas por dia. Tem havido gente do tipo *Crab Apple* incapaz de beijar se não tiver passado antes um vaporizador na boca. No estado de *Crab Apple*, que não passa, afinal de contas, de um ideal de pureza malcompreendido, o relacionamento com o próprio corpo muitas vezes não é harmônico.

As pessoas que necessitam freqüentemente de *Crab Apple* são tão sensíveis que a menor das miudezas lhes causará tamanha impressão que elas não podem fazer outra coisa para enfrentar essa única impressão. Isso não deixa energia para a consideração de contextos mais amplos. As donas de casa que têm o bichinho da limpeza têm amiúde o problema típico de *Crab Apple*. Os pés molhados dos filhos as preocupam principalmente por causa das marcas deixadas no carpete novo. O ponto mais importante, a saber, que os pés molhados podem causar resfriado, só lhes virá à mente depois que as marcas tiverem sido eliminadas.

O grande desejo interior da pureza deixará também muitas pessoas do tipo *Crab Apple* mais do que normalmente nervosas em relação a insetos, bactérias, comida que pode ter-se estragado, e todos os tipos de riscos de infecção. No momento em que os jornais noticiarem uma epidemia de gripe, as pessoas do tipo *Crab Apple* tomarão imediatamente todas as precauções possíveis a fim de evitar contrair a doença.

Isso não é tão desarrazoado quanto parece, às vezes, aos que têm uma constituição diferente. Dir-se-ia que as pessoas do tipo *Crab Apple* têm uma capacidade especial para atrair impurezas e energias negativas do ambiente. Algumas são capazes de curar-se e transformar essas forças negativas quando se encontram no estado positivo de *Crab Apple*. Um profissional que aplica o método de Bach chamou-lhes com justeza, "aspiradores espirituais de ar". Um extremo exemplo positivo do estado do tipo *Crab Apple* é o Mahan Tantric, o Mestre de ioga branco tântrico. Em seus exercícios de grupo, ele absorve as energias bloqueadas de 150 pessoas, ou mais, transformando-as dentro de si, como se fosse um filtro, e deixando-as fluir de novo para o grupo, recém-purificadas, por assim dizer. Ele referiu-se jocosamente a si mesmo como um apanhador de lixo.

Uma energia positiva do tipo *Crab Apple* tão insólita só pode ser incorporada em muita pouca gente ao mesmo tempo, se bem alguma coisa parecida com isso seja às vezes experimentada por quem se encontra no estado positivo de *Crab Apple*, e compreende que a desarmonia externa, em última análise, é sempre apenas o reflexo do nosso próprio desequilíbrio interior, estando em nós, portanto, a capacidade de realizar uma mudança interior e, desse modo, instituir também a harmonia exterior. Essa compreensão é o primeiro passo para a recuperação.

Crab Apple removerá impressões negativas, como depois de um trabalho sujo, de uma longa e difícil tarefa de enfermagem. À diferença de todos os outros Remédios Florais, *Crab Apple* tem uma ação dupla definida. A purificação é lograda assim no nível mental como no físico.

Para uso externo, acrescentam-se a um banho completo cerca de 10 gotas do remédio preparado.* Cinco gotas são suficientes para compressas. Usava-se *Crab Apple*, com freqüência e com proveito, combinado com *Pine* no tratamento de problemas da pele.

Alguns profissionais recomendam *Crab Apple* quando a pessoa está jejuando. Outros para anular mais depressa os efeitos de uma ressaca – neste caso, quatro gotas de meia em meia hora. Alguns prescrevem *Crab Apple* num resfriado incipiente, ou para acabar com os efeitos colaterais de tratamentos com drogas poderosas (antibióticos, anestésicos).

Alguns profissionais dos métodos de Bach tomam uma combinação de *Crab Apple* e *Walnut* entre sessões, a fim de reduzir ao mínimo o efeito do campo de energia da outra pessoa. Usa-se também *Crab Apple* em combinação com *Rescue* no tratamento de plantas infestadas de parasitas ou transplantadas para outro vaso.

Sintomas-chave do tipo Crab Apple

Sente-se sujo, infectado; aversão por si mesmo. Perde-se em pormenores.

Sintomas devidos ao bloqueio da energia

- Ênfase demasiada dada ao princípio da pureza da alma e do espírito e/ou do físico.

• Veja a pág. 204

- Aversão por si mesmo, à conta de pensamentos negativos, palavras descarinhosas proferidas, comportamento egoísta em relação aos outros.
- Condenação de si mesmo por haver feito alguma coisa em desacordo com a própria natureza interior.
- Sente que precisa limpar todos os pensamentos impuros.
- Sente-se pecaminoso, emporcalhado.
- Superestima o pormenor perdendo de vista o plano global.
- Perde-se em minúcias, deixa-se tiranizar por coisas de somenos.
- Dona de casa perfeita, mostra uma exatidão pedante.
- Tudo tem de estar sempre limpo como um alfinete.
- Os de fora dizem: "Ela tem macaquinhos no sótão."
- Sensível à falta de ordem, tanto em público quanto na vida particular.
- Tem problemas, às vezes, com todos os atos terrenos e físicos, como, por exemplo, dar de mamar e beijar.
- Acha repugnantes os que têm erupções cutâneas, pés suados, manchas, verrugas, etc.
- Aflição provocada por todas as formas de sujeira, insetos, perigos de bactérias, etc.
- Grande necessidade de asseio, e até necessidade de banhar-se com freqüência.
- Medo de comidas que podem estar estragadas; medo de sanitários sujos, drogas erradas, poluição ambiental, etc.
- Grande necessidade de exteriorizar-se: tosse nervosa, tosse crônica, coriza crônica, descarga, etc.

Transformação potencial posterior
- Generoso, as pequenas coisas não lhe alteram a compostura.
- Vê tudo em sua perspectiva apropriada.
- Sentido do quadro global.
- Reconhece as questões não resolvidas e é capaz de transformá-las.

Medidas de apoio
- Admitir que o homem é imperfeito.
- Assegurar para si mesmo sono e relaxação suficientes para o sistema nervoso.

- Praticar ioga e outros exercícios para limpar as glândulas e harmonizar o sistema nervoso.
- Meditar.

Afirmações positivas para praticar

"Impressões passam através de mim."
"Estou sempre atento."
"Sou um ser afortunado com qualidades individuais."
"O meu verdadeiro cerne está em paz e é inviolável."

11. ELM
Ulmus procera

Flores entre fevereiro e abril, dependendo do tempo, em matas e sebes formadas de árvores. As flores pequenas, muito numerosas, violáceas-acastanhadas, crescem em cachos e desabrocham antes das folhas.

Princípio

Elm relaciona-se com o princípio da responsabilidade. À diferença de muitos outros Remédios Florais do Dr. Bach, a energia de *Elm* geralmente se mostra em sua forma positiva. Na forma negativa revela-se como os "momentos de fraqueza na vida dos fortes", quando as pessoas de capacidade e responsabilidade acima da média se sentem, de repente, tão exaustas que já não se julgam à altura da tarefa proposta. O dono bem-sucedido de uma fábrica que emprega muitas pessoas, de repente, sente medo de não poder tomar uma simples decisão comercial, que teria conseqüências desastrosas para toda a força de trabalho. A mãe muito admirada, que costuma dirigir tão esplendidamente a sua grande descendência, imagina, subitamente, que não poderá dar conta da festa para comemorar a maioridade da filha caçula. Um prefeito competente já não se sente capaz de solucionar as pendências internas do partido e pensa em renunciar ao cargo, embora saiba que as conseqüências para a cidade seriam desastrosas.

A incapacidade de enfrentar exigências extremas, quando os problemas aparecem numa perspectiva deformada, é apenas temporária, e as pessoas em torno acham que o mundo virou de pernas para o ar quando o seu herói muito admirado e normalmente inabalável parece, de repente, pequeno e fraco.

As pessoas do tipo *Elm* são detentoras de grande capacidade, ligada, não raro, a um altruísmo inerente. Isso conduz a posições de responsabilidade, que elas, normalmente, têm força suficiente para enfrentar. Hoje em dia, porém, isso significa amiúde que mais e mais responsabilidades são colocadas sobre os seus ombros.

As pessoas com a qualidade de *Elm* identificam-se plenamente com a sua tarefa, para grande benefício de todos em geral. Entretanto, por vezes se esquecem de que são, também, meros indivíduos, com necessidades altamente pessoais e limites físicos. Uma súbita exaustão, acompanhada de crise, ou seja, o estado negativo de *Elm*, ocorre freqüentemente quando a pressão profissional crescente coincide com uma fase física passiva, determinada pela própria constituição da pessoa, como, por exemplo, na menopausa precoce. Num ou noutro momento, nem a mais poderosa motivação será bastante, e o corpo exige o que lhe é devido. E essa fraqueza causa uma flutuação temporária do amor-próprio.

O erro está em que a pessoa se identifica demasiado fortemente com o papel da sua personalidade nesses momentos, pensando ser errado seguir a orientação do Eu Superior, que pede moderação. Ela esquece que todo o mundo, em primeiro lugar, é responsável por si mesmo, e precisa, antes de mais nada, satisfazer às exigências da alma, e só depois às esperanças que os outros depositam no seu papel.

Os momentos de fraqueza do tipo *Elm* podem ser vistos, assim, como sinais de advertência, para não nos deixarmos levar tanto pelas idéias e conceitos da personalidade que o elo com o Eu Superior venha a enfraquecer-se. O ser humano é capaz de estender os limites de suas capacidades por um grande espaço de tempo, mas não pode ir além deles, enquanto habitar o corpo humano.

A energia da Flor de *Elm* foi corretamente definida como "sais aromáticos psicológicos". *Elm* dará força ao forte em momentos de fraqueza. Despertá-lo-á do sonho de inadequação impotente, fazendo-o pôr os dois pés no chão da realidade outra vez. Isso tornará a propiciar-lhe uma visão clara, para ver os problemas nas proporções ajustadas e ter consciência das próprias capacidades. Voltamos a saber quem somos, e que estaremos de novo à altura das nossas incumbências, seja por nossa própria conta, seja com a ajuda que virá no momento certo e do lado certo.

Sintomas-chave do tipo Elm

Sentimento temporário de inadequação. Subjugado pelas responsabilidades.

Sintomas devidos ao bloqueio da energia
- Sente-se, de improviso, avassalado por uma tarefa.
- Sente que as responsabilidades são muitas.
- Sente que não tem forças para realizar tudo o que precisa e deseja realizar.
- Fases de depressão e exaustão em caracteres fortes, cuja confiança em si mesmo, normalmente excelente, desaparece temporariamente.
- Exaustão momentânea, mercê dos esforços constantes para sair-se num nível ótimo.
- Duvida transitoriamente de suas capacidades e adequação a uma função determinada.
- Tem a sensação de que poderá esmorecer.
- Está numa situação em que se tornou indispensável e agora acredita não poder abrir mão da responsabilidade.
- Trabalho em demasia e tarefas demasiado diferentes assumidas no momento.

Transformação potencial posterior
- Altruísmo inerente.
- Segue o chamado interior.
- Talentos acima da média, grande potencial.
- Líder natural, positivo.
- Grande senso de responsabilidade.
- Senhor de si, confiante.
- Responsável, digno de confiança.
- Convicção inabalável de que a ajuda chegará sempre no momento certo.
- Pronto para tentar o impossível se for uma questão de superar dificuldades relacionadas com o todo.
- Capaz de ver problemas em sua perspectiva adequada.

Medidas de apoio
- Lembre-se de que você é uma pessoa individual, com responsabilidades também para consigo mesmo.
- No futuro, diligencie para que haja mais intervalos quando estiver planejando o trabalho.
- Ofereça a si mesmo alguma coisa de vez em quando.

Afirmações positivas para praticar
"Só me dão as responsabilidades que posso assumir."
"Sou capaz de enfrentar a situação."
"Sempre tenho a ajuda de que preciso."

12. GENTIAN
Gentianella amarella

Planta bianual, de 15 a 20 cm de altura, que cresce nos pastos montanhosos secos, rochedos e dunas. As flores, numerosas, apresentam colorações que vão do carmesim ao purpurino. Colhem-se de agosto a outubro.

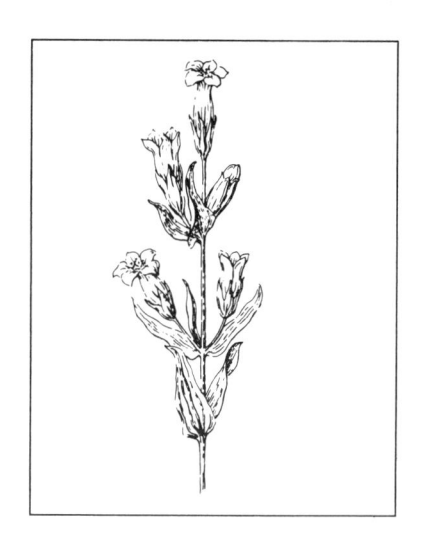

Princípio

Gentian está ligado a Deus e à fé. O Remédio Floral *Gentian* do Dr. Bach relaciona-se com o conceito de fé, que não deve ser tomado apenas no sentido religioso. Pode ser também a fé no sentido da vida, numa ordem mais elevada, num certo princípio de vida, numa filosofia.

A pessoa freqüentemente necessitada de *Gentian* é alguém que gostaria de acreditar mas não pode. Onde reside o erro? Ela está se recusando inconscientemente a ser guiada pelo Eu Superior e a ver-se como parte de um todo maior. Limita suas percepções à própria personalidade circunscrita, separando-se do manancial, que é a única fonte de fé. Acha que precisa apreender tudo, inteiramente, com os pensamentos. Analisa, pondera, indaga, e o resultado dessa atividade mental incessante geralmente parece deprimente. Infelizmente, uma pessoa no estado de *Gentian* não compreende que, com a expectativa duvidosa, os acontecimentos só podem tomar um curso duvidoso. Uma atitude dessa natureza não só prejudica a pessoa, como também prejudica o grande todo, mas isso lhe é mais difícil ainda de ver.

O eterno pessimista, que sente satisfação em constatar o quanto as coisas vão mal para ele e para o mundo, o cético persistente, que só se sente bem quando é capaz de aborrecer-se com alguma coisa – estes são os extremos do estado de *Gentian*.

Estado temporário, *Gentian* assume amiúde a forma de abatimento ou desalento, como, por exemplo, na convalescença. Quando o progresso foi bom, mas ocorre subitamente uma recaída, o mundo do paciente desmorona e ele acha que tudo vai começar outra vez.

Um paciente típico de *Gentian* – e um profissional – alimentará, naturalmente, uma dúvida num canto do coração quanto à eficácia dos Remédios Florais do Dr. Bach, embora possa ver que eles são eficazes.

Gentian é de grande auxílio em casos de sentimentos depressivos evocados por uma circunstância conhecida. Exemplos: a morte de um cônjuge, o desemprego continuado, filhos correndo de um lado para outro entre pais divorciados, a perda de um bichinho de estimação, e velhos internados num asilo.

Espiritualmente, o estado do tipo *Gentian* pode ser visto como um bloqueio no plano mental. As faculdades intelectuais são fortes, mas mal-orientadas. Um ceticismo saudável transforma-se numa necessidade compulsiva de questionar tudo. As pessoas que lutam com problemas filosóficos, as que lutam por uma fé, encontram-se no estado negativo de *Gentian*. "Ó Senhor, ajuda minha descrença!" Esta oração de um místico cristão descreve-o com exatidão.

Gentian ajuda na construção da fé, não de uma fé cega, mas da fé de um cético positivo. Uma pessoa que voltou, com a ajuda de *Gentian*, a ligar-se com o Eu Superior, será capaz de ver dificuldades sem se desesperar. Será capaz de viver com o conflito, compreendendo, pelo menos inconscientemente, que, em termos do todo maior, os conflitos exercem uma função necessária. Já não entrará em pânico ao encontrar obstáculos, e é sempre capaz de ver a luz na escuridão.

Na prática, *Gentian* revelou-se muito útil para crianças, nervosas e desanimadas em razão de problemas insignificantes surgidos na classe, que não querem voltar à escola. *Gentian* opera maravilhas quando regressões temporárias acontecem no curso de qualquer forma de tratamento. Acima de tudo, porém, *Gentian* ajuda os que não conseguem ser auxiliados pela psicoterapia.

Sintomas-chave do tipo Gentian
Cético, hesitante, pessimista, facilmente desalentado.

Sintomas devidos ao bloqueio da energia
- Sente-se deprimido e sabe por quê.
- Às vezes parece até gostar do seu pessimismo.
- Ceticismo.
- As dúvidas são proclamadas, seja qual for a situação.

- Incerteza devida à falta de fé e de confiança.
- Esmorece e decepciona-se facilmente ao surgirem dificuldades inesperadas.
- Recaídas temporárias "derrubam a gente".
- Sente-se facilmente desanimado.

Transformação potencial posterior
- Capacidade de viver com o conflito.
- Convicção de que, se fizermos o melhor que pudermos, não haverá malogro.
- Certeza de que os problemas poderão ser superados.
- Confiança inabalável, apesar das circunstâncias difíceis.
- Capaz de ver "a luz na escuridão" e de transmitir essa sensação aos outros.

Medidas de apoio
- Estude biografias de grandes homens que tiveram de enfrentar problemas semelhantes e conseguiram superá-los.
- Reflita no tópico de "como funcionam os pensamentos".

Afirmações positivas para praticar
"Os obstáculos são oportunidades para aprender."
"Acredito no êxito final."
"Tudo tem um significado mais profundo."

13. GORSE
Ulex europaeus

Cresce em terreno pedregoso, terras de pastagens secas e charnecas. O tojo floresce de fevereiro a junho.

Princípio

Gorse encarna a qualidade da alma ligada à esperança. No estado negativo de *Gorse*, a esperança foi abandonada.

Muitas pessoas no estado negativo de *Gorse* sofreram ou estão sofrendo de moléstias crônicas. Foram submetidas a inúmeros tratamentos, sem êxito, e os médicos deixaram claro que elas, provavelmente, nunca voltarão a ficar boas. Agora, cuidam haver chegado ao termo da jornada, e querem desistir. Por amor da família, porém, concordam em tentar mais este ou aquele método de tratamento, mas, no íntimo, estão há muito tempo convencidas de que nenhum método adiantará.

Esse estado mental é muito perigoso, por duas razões. Primeira, as expectativas negativas do paciente reforçarão continuamente a programação errada, que é a doença, fixando-a mais firmemente no corpo, de modo que ela só pode agravar-se. Segunda, a personalidade também oferece uma resistência passiva. Afasta-se, cada vez mais, do Eu Superior e do desenvolvimento ativo, e torna-se, cada vez mais, um cadáver vivo. As pessoas no estado negativo do tipo *Gorse* parecem-se, não raro, com "crianças de porão", de rostos amarelos ou pálidos como cera, e sombras escuras debaixo dos olhos, por não terem visto o sol durante muito tempo. Um sensitivo descreveu o estado negativo de *Gorse* como aquele em que parece haver uma chapa grossa de vidro entre a alma e a personalidade; elas ainda podem ver-se mas já não podem ouvir-se.

O erro inconsciente da personalidade reside, mais uma vez, na recusa de reconhecer e aceitar o papel do Eu Superior como controlador do destino. Em vez de deixar a responsabilidade de todo o seguimento ao Eu Superior, e caminhar, confiante, ao seu lado, a personalidade faz oposição ao decurso do desenvolvimento. Porque as coisas não acontecem como ela imaginava que aconteceriam, afasta-se mentalmente, sem dedicar o menor pensamento ao processo que está rejeitando.

Tais atitudes infantis também se refletem na maneira com que muitos pacientes do tipo *Gorse* esperam que tudo, graças a um milagre, acabará dando certo, em lugar de compreender que a recuperação, em última análise, só pode vir de dentro, sempre. As pessoas do tipo *Gorse* terão de aprender a entrar em acordo com o aspecto de destino do seu processo mórbido.

Do ponto de vista esotérico, essas pessoas têm, com freqüência, um carma difícil, que precisa ser reformado pelo sofrimento na existência atual, pois as verdadeiras mudanças neste planeta só se realizam mediante o sofrimento. Se tal propósito for reconhecido e aceito, consciente ou inconscientemente, toda a situação interior se modificará de uma vez só.

Uma pessoa no estado negativo de *Gorse* é capaz de ganhar novas forças e esperanças vindas do íntimo, e estará, nesse caso, novamente pronta para seguir o seu destino. Isso não quer dizer que ela espera o impossível – sabe que uma perna amputada não voltará a crescer – mas esperará firmemente que, dentro do contexto do seu destino, tudo acabará bem. E por esse modo segue adiante, a despeito de tudo o que a atrapalha. Aprende a suportar os sofrimentos sem se lamentar, tendo compreendido que nós, muitas vezes, aprendemos mais com as provações e experiências dolorosas. Ela passa, assim, pelos estágios seguintes da moléstia num estado de paz e sem se sentir desesperançada. Nas primeiras fases de uma doença crônica, essa profunda mudança interior é, amiúde, a centelha inicial que porá em movimento um verdadeiro processo de cura.

Muito freqüentemente, o estado negativo de *Gorse* não se manifesta na forma extrema que acabamos de descrever. Reconhecemos as pessoas em que ele assume uma forma mais sutil por frases como: "Já tentei tudo, mas. . . " Se o paciente tomar *Gorse* nesses casos verá que isso assinala, muitas vezes, um momento crítico significativo, ingressando ele num novo ciclo de desenvolvimento.

Profissionais têm relatado que *Gorse* ajuda a extirpar essa atitude de descrença.

Nem sempre é fácil distinguir o estado do tipo *Gorse* do estado do tipo *Wilde Rose*. Uma diferença característica consiste em:

Gorse   Pode ser persuadido a tentar outra abordagem do tratamento, até quando está desesperado.

Wilde Rose   Ainda mais passivo e apático, não está preparado para tentar nada de novo.

Sintomas-chave do tipo Gorse

Desesperança, completo desespero. Uma atitude de "Ora, que adianta?"

Sintomas devidos ao bloqueio da energia

- Bem no fundo, estagnação no processo de chegar a um acordo com o próprio destino.
- Já não é capaz de esperar melhorar, em especial no caso de uma moléstia crônica.
- Desesperado, porque lhe disseram que nada mais pode ser feito.
- Deprimido, resignado, desistiu.
- Já não tem energia bastante para fazer outra tentativa.
- Desistiu intimamente, e espera que alguma coisa lhe venha de fora.
- Permite aos parentes que o persuadam a tentar outro tratamento, contrariando sua convicção íntima, depois fica desapontado quando ocorrem recidivas sem importância.
- Pálido, tem anéis escuros em torno dos olhos.
- Teve, anos atrás, uma doença crônica que durou muito tempo.

Transformação potencial posterior

- Convencido de que tudo acabará bem.
- Assume uma atitude diferente em face de sua posição sem esperança, capaz de aceitar o destino.
- Compreende que a desesperança impede o processo de cura e que "todos temos nosso fardo para carregar".
- Sabe que não devemos dizer "nunca", e que podemos esperar.
- Em casos menos graves: surge uma nova esperança de cura, e esse é o primeiro passo no sentido da recuperação.

Medidas de apoio
- Reflita nos conceitos de carma e sofrimento.
- Passe umas férias ao sol.

Afirmações positivas para praticar
"A esperança traz a cura."
"Todo novo dia é uma nova oportunidade."
"Estou participando."
"Tudo evolui de acordo com leis inerentes."

14. HEATHER
Calluna vulgaris

Não se confunda com a espécie *Erica*, de flores vermelhas. Floresce de julho a setembro, com flores cor de malva e cor-de-rosa, ocasionalmente brancas, em charnecas, charcos secos e lugares estéreis abertos.

Princípio

Heather relaciona-se com as qualidades da alma ligadas à empatia e à disposição para ajudar. No estado negativo de *Heather*, só nos preocupamos conosco e com os nossos problemas, e até tentamos resolvê-los à custa de outros. Esse estado tanto pode ser do tipo extrovertido quanto introvertido. Quase toda a gente se vê, neste ou naquele momento, transitoriamente no estado negativo de *Heather*.

Um estado extrovertido crônico de *Heather* pode, às vezes, semelhar uma piada, e pode ser definido como: "Ele veio, viu – e falou!" Em casos extremos, a pessoa experimenta quase uma necessidade compulsiva de falar sobre si mesma. Precisa sempre de um auditório, que a ouça discorrer sobre os seus problemas terrivelmente importantes ou sobre as grandes coisas que ela fez. As pessoas no estado negativo de *Heather* sentem um impulso irresistível de descarregar tudo o que lhes acontece contando-o a outros. Monopolizam a conversação de um grupo, conduzindo habilmente o assunto para o que lhes diz respeito.

Fazem-se mister métodos brutais para fugir-lhes ao desejo intenso de comunicar-se, pois a pessoa no estado negativo de *Heather* não nos deixará afastar-nos facilmente depois de haver-nos agarrado. Chegará bem perto de nós ao falar conosco, seguindo-nos quando recuamos, até nos encostar na parede, e, se for necessário, puxará a manga do nosso paletó ou da nossa camisa para deter-nos. Os personagens de dois Remédios Florais do Dr. Bach são vítimas particulares deste tipo: *Centaury*, aos quais falta a força de vontade para desvencilhar-se da sua influência dominadora, e *Mimulus*, aos quais falta simplesmente a coragem de levantar-se e sair.

Os tipos extrovertidos de *Heather*, em casos extremos, nem sequer se importam com quem estão falando, contanto que possam falar. Contarão todo o seu histórico médico, até o último detalhe a um completo estranho, na sala de espera do médico. Se não houver em casa ninguém com quem possa falar, falarão ao telefone horas a fio, e a maioria das suas sentenças começará por "Eu".

O "Eu" é o foco e o centro de todos os pensamentos e aspirações no estado de *Heather*. Jamais ocorre a ninguém no estado negativo de *Heather* interessar-se realmente pelas necessidades da outra pessoa. Como pode surgir uma forma tão extrema de egocentrismo?

As pessoas no estado negativo de *Heather* têm sido descritas como "crianças carentes", que dependem das atenções e da afeição dos que a rodeiam. As pessoas que necessitam amiúde de *Heather* vêm, muitas vezes, de lares de atmosfera fria, onde sofreram de privação emocional desde a mais tenra infância. Carecendo da afeição e da apreciação necessárias, o jovem ego tem de lutar por si mesmo emocionalmente. Essa atitude persistiu na idade adulta. O falar constante de um tipo *Heather*, em primeiro lugar, é um estratagema inconsciente empregado pela personalidade para certificar-se de que realmente existe. Ela pode ouvir-se, os outros podem ouvi-la, e, portanto, ela existe.

O estado normal do tipo *Heather* pode ser visto em crianças na fase do desenvolvimento do ego, que nos contam, exuberantes, uma porção de coisas sobre si mesmas. A excessiva preocupação de uma pessoa do tipo *Heather*, sua tendência para exagerar emoções e transformar montinhos em montanhas, encontra explicação nesse comportamento durante a infância.

Que poderia acontecer de pior à nossa criança carente do que ser deixada sozinha pelos que lhe fornecem energia? No estado negativo do tipo *Heather*, ainda vivemos da energia dos outros, até mesmo na vida adulta, e, portanto, ficar por nossa conta é a pior coisa que nos pode acontecer.

O triste é que os outros raro reconhecem esse estado emocional da criança, principalmente porque os tipos *Heather* forcejam por não parecer necessitados de auxílio, e apresentam uma imagem dominadora e decidida. Em conseqüência disso, os seus esforços frenéticos para estabelecer contato e obter reconhecimento quase sempre dão o resultado contrário. A enorme pressão que aplicam automaticamente faz que as pessoas que deles se aproximam recuem. A afeição por que o tipo *Hea-*

ther tanto anseia, por conseguinte, é repelida pela sua própria atitude, e, embora tenha um auditório, ele permanece, solitário, em seu interior.

O erro no estado negativo de *Heather* reside, sem sombra de dúvida, no fato de a personalidade afastar-se completamente do Eu Superior e da unidade maior, incapaz de reconhecer que não há necessidade de tomar pela força o que lhe virá às mãos de seu moto próprio se concordar em ser guiada pelas leis do Eu Superior. Os indivíduos no estado negativo de *Heather* precisam deixar de ser uma criança carente, crescer, e transformar-se em adultos também capazes de dar. Assim que afastam a atenção e as energias de si mesmos e voltam-nas para o mundo que os rodeia e para o grande todo, entram em operação as leis cósmicas, e a energia, a atenção, o afeto e o amor lhes são devolvidos em dobro.

Verifica-se que as pessoas no estado positivo de *Heather* são tão bons ouvintes quanto eram, antes, palradoras. Apresentam grande empatia e, se a situação o exigir, são capazes de ser muito atenciosas para com outra pessoa, e envolver-se totalmente em alguma coisa que precisa ser feita. Criam uma atmosfera de confiança e força em que os outros se sentem à vontade.

O estado do tipo *Heather* pode assumir muitas formas diferentes. Se a tônica dominante for a introversão, será mais evidente a preocupação com os próprios assuntos. Uma pessoa nessas condições não precisa dizer muita coisa, mas os pensamentos centrados em si mesmos, que lhe atravessam de contínuo a mente, são óbvios para qualquer pessoa de fora.

Toda a gente passa pelo estado negativo de *Heather*, às vezes quando um problema gera tamanha preocupação que é preciso deixar escapar o vapor e falar com alguém a seu respeito.

As pessoas que estão adquirindo a primeira experiência em meditação, ou outras formas de treinamento espiritual, ficam amiúde no estado do tipo *Heather*. Tantos aspectos novos da personalidade emergem à sua frente que elas simplesmente têm de "exteriorizá-los", a fim de poder organizá-los.

Superficialmente, o estado do tipo *Heather* confunde-se, às vezes, com o do tipo *Chicory*, quando se trata de atitudes sociais. As diferenças são:

Chicory "A mãe carente" – quer agarrar-se às suas relações. Dá a fim de receber. Autocomiseração.

Heather "A criança carente" – agarra-se aos que estão à sua volta para obter um reflexo do seu ego. Não há. Centrada em si mesma, raramente sente autocompaixão.

Sintomas-chave do tipo Heather

Centrado em si mesmo, obcecado pelos próprios problemas e assuntos, necessita constantemente de um auditório; é "a criança carente".

Sintomas devidos ao bloqueio da energia

- Pensamentos inteiramente concentrados em problemas pessoais, leva-se a si mesmo terrivelmente a sério; "hipocondríaco falador".
- Deseja ser o centro das atenções, necessita quase compulsivamente de um auditório.
- Toma conta da conversação e imediatamente lhe dirige o assunto para si mesmo.
- Agarra os outros no desejo de demonstrar o seu ponto de vista, segura as mangas do interlocutor, não o deixa escapar.
- Mina a força dos outros com um matraquear incessante, provocando-lhes tensão nos nervos e nos modos.
- Necessita dos seus semelhantes, vive-lhes das energias.
- Não pode ficar só.
- Tende a exagerar emocionalmente, transformando montinhos em montanhas.
- Absorto em si mesmo, preocupado consigo mesmo.
- Não sabe ouvir.
- Provém amiúde de um lar em que não havia calor, subnutrido emocionalmente em criança.
- Freqüentemente nos primeiros estágios do desenvolvimento espiritual, quando nos vemos diante do ego e precisamos exteriorizar inúmeras experiências interiores.

Transformação potencial posterior

- O adulto simpático, grande empatia.
- Bom ouvinte, parceiro interessado na discussão.
- Capaz de entrar completamente nos assuntos de outrem ou em alguma coisa que precisa ser feita.
- Irradia força e confiança.

Medidas de apoio
- Visualize sempre a aura da outra pessoa, como alguma coisa que não deve ser penetrada.
- Pratique a arte de ouvir; uma vez, pelo menos, espere conscientemente para ver o que acontece sem a sua interferência.
- Envolva-se em projetos de grupo: ajuda aos vizinhos, política da comunidade, etc.

Afirmações positivas para praticar

"Dou e também me darão."
"Tudo o que me é devido virá a mim."
"Estou seguro dentro de mim mesmo."
"Estou fluindo na corrente da energia divina."

15. HOLLY
Ilex aquifolium

Árvore ou arbusto de folhas acetinadas sempre verdes e bagas vermelhas brilhantes, que cresce nas matas e sebes formadas de árvores. As flores masculinas e femininas, brancas, ligeiramente fragrantes, crescem de ordinário em árvores diferentes, e desabrocham em maio e junho.

Princípio

Com um nome que soa quase como *"holy"* (sagrado), o *holly* é trazido para dentro de casa no Natal, nos países da língua inglesa, para simbolizar o nascimento de Cristo. Não se trata de mera coincidência. O Remédio Floral *Holly* encarna o princípio do amor divino, oniabrangente, amor que mantém este mundo e que é maior do que a razão humana. Esse amor, essa qualidade mais alta de energia, através do qual e no qual vivemos todos, é o nosso verdadeiro elixir da vida, o maior dos poderes curativos, e a mais vigorosa força motriz. *Holly*, portanto, assume uma posição central entre os 38 Remédios Florais do Dr. Bach.

Se esse grande poder de amor não obtiver aceitação, transformar-se-á no oposto: negação, separação e ódio. Esta é a causa mais profunda de todos os outros acontecimentos negativos da vida. Quem quer que viva nesta terra, mais cedo ou mais tarde, terá de reconciliar-se com esta questão essencial para a humanidade, consciente ou inconscientemente.

Fluindo com a corrente do amor, vivendo "em estado de graça", nosso coração está aberto, e todos os homens são vistos como irmãos. Se saltar fora da corrente do amor, o coração endurecerá, e nós nos veremos dolorosamente isolados, cortados e separados de tudo. Entretanto, o desejo deste amor está programado em cada célula do nosso ser, e no estado negativo de *Holly* estamos, portanto, lutando pela existência em nosso coração. Todo ser deseja dar e receber amor quando nascido neste mundo. Se isso lhe for negado, experimentará uma incrível decepção e começará a estabelecer limites entre ele e aquilo de que, aparentemente, não deve participar, e a defender-se.

Sendo o amor uma força tão tremenda, seu lado sombrio também se expressa em sentimentos poderosíssimos: inveja, vingança, ódio, ciúme, ressentimento, maldade. Tais sentimentos, dos quais nenhum de nós se acha de todo livre, ou se exprimem publicamente ou subsistem em níveis mais inconscientes, quando podem formar a base emocional de graves enfermidades.

Esta é, portanto, uma razão particular por que precisamos reconhecer esses sentimentos negativos, profundamente humanos, em nós mesmos, pois eles espelham nossas necessidades mais íntimas. Mostram o que não temos, mas gostaríamos de ter, e, dessarte, nos proporcionam a oportunidade de envidar os esforços certos para obtê-lo.

A inveja, por exemplo, é um sentimento hoje muito difundido, não só no mundo dos negócios, mas também nos círculos denominados espirituais. Em segredo, pomo-nos a imaginar até onde chegou o outro sujeito, se já "alcançou um estágio mais alto". As pessoas que ingressaram no caminho espiritual têm uma necessidade especial de amor e de abrir-se, e tais sentimentos surgirão por força, até que, afinal, se dá o passo da separação para a unidade, e encontramos Deus em nossos corações.

O ciúme mórbido, que busca, veemente, alguma coisa que cause sofrimento é o exemplo clássico, trágico, do desejo de amor numa chave negativa. Alguém que esteja isolado em seu coração e se tenha afastado do amor, e agora encontrou outra pessoa para a qual o seu desejo de amor pode ser dirigido, sentir-se-á constantemente em perigo de perder esse amor, pois, não tendo conhecimento pessoal do amor, é incapaz de deixá-lo fluir. Ao invés disso, irradia incerteza e medos, e, como resultado lógico, encontra a dor.

Não é apenas o ciumento que precisa reconhecer que o amor focalizado inteiramente em outro ser humano não pode, com o passar do tempo, lograr completação, a não ser que esteja, ao mesmo tempo, e como primeira meta, procurando também a unidade divina.

No caso do ciúme, cumpre fazer distinção entre o estado mórbido e o "normal". Este último sobrevirá temporariamente em todo relacionamento amoroso. Quando os sentimentos mais altos de amor são ativados, a sua contraparte será também inevitavelmente ativada; eis aí uma lei que fornece o ímpeto para um novo passo no desenvolvimento.

Devemos prestar especial atenção às pessoas que se dizem tão tolerantes que não conhecem o ciúme. É muito pouco provável que se trate de uma pessoa serena, sábia. Suspeitaríamos antes que se tratasse de alguém que já foi tão longe na direção da morte no coração que já não é capaz de sofrer nem de amar.

Desse ponto de vista, é sempre motivo de alegria o aparecimento de *Holly* no diagnóstico, mostrando que há sempre um potencial nesse ponto essencial ainda susceptível de desenvolvimento, pois a pessoa anseia por amor e também será capaz de dá-lo.

Edward Bach disse: "*Holly* nos protege de tudo o que não é o Amor Universal. *Holly* abre o coração e nos une ao Amor Divino." Desenvolvemos um sentimento por nossas origens, por tudo a que pertencemos, e por sermos todos filhos do amor. *Holly* ajuda-nos reiteradamente a viver em estado de amor, estado de beleza, solenidade e realização, onde somos um coração e uma alma identificados com o mundo, e somos capazes de reconhecer tudo como parte da ordem natural, dada por Deus; onde somos capazes de juntar-nos ao prazer de outros sem inveja, até quando temos problemas.

A qualidade anímica de *Holly* é o estado humano ideal, a meta por que batalhamos na vida.

"Experimentar e amar o deus da beleza e da bondade, até no que é feio e no que é mau, e ansiar, no amor extremo, por curá-lo da sua feiúra e da sua maldade, é a virtude e a moralidade verdadeiras." (Sri Aurobindo)

Na prática, o estado negativo de *Holly* nem sempre se apresenta muito em público. Dificilmente se poderia esperar outra coisa em países em que, por gerações, não se considera de bom tom falar sobre os próprios sentimentos. É necessário, portanto, tentar sentir o estado negativo de *Holly* do outro no diálogo em que se faz o diagnóstico. As pessoas que estão no caminho espiritual precisam de *Holly* com mais freqüência do que seria de imaginar. *Holly* pode ser uma bênção absoluta nas fases terminais de moléstias crônicas.

No diagnóstico, *Holly* e *Wild Oat* são usados para abrir um caso e esclarecer a situação. Quando não houver resposta alguma aos Remédios Florais prescritos, ou quando parecer difícil decidir qual dentre as muitas qualidades da alma que se mostraram é a mais importante, é melhor dar *Holly* ou *Wild Oat* primeiro. Usa-se *Holly* para pessoas ativas e dinâmicas. Dá-se *Wild Oat*, de preferência, ao tipo de pessoa reprimida, passiva.

Uma experiência comum com *Holly*: Quando nasce o segundo filho, o primeiro sempre se mostra enciumado, e o ciúme assume a forma de rabugice, rebeldia, etc. *Holly* tem se revelado muito útil nesses casos. O mesmo se diga em relação a cachorros que manifestam ciúme quando postos, de repente, diante de um nenê na família.

Às vezes, é preciso estabelecer distinção entre *Holly* e *Chicory*:

Holly   Encarna o aspecto mais universal do amor. Os sentimentos, mais dolorosos, podem relacionar-se não somente com as pessoas mas também com as idéias.

Chicory Encarna apenas um aspecto particular do amor, o de dar e tomar. Predomina, nesse caso, uma atitude possessiva, imperiosa, diante dos outros.

Sintomas-chave do tipo Holly

Ciúme, desconfiança, sentimentos de ódio e inveja em todos os níveis.

Sintomas devidos ao bloqueio da energia

- O coração endurece.
- Está descontente, infeliz, frustrado, mas nem sempre sabe por quê.
- Sentimentos de inveja e ódio.
- Ciúme, desconfiança, espírito de vingança.
- Maldade.
- Medo de estar sendo enganado.
- Incompreensões; queixa-se dos outros.
- Suspeita de um aspecto negativo em muitas coisas.
- Desconfia facilmente dos outros.
- Sente-se freqüentemente magoado ou ofendido.
- É supersensível a desconsiderações reais ou imaginadas.
- Deprecia os outros em seu coração.
- Raiva, cólera, explosões violentas de mau-humor, que podem encontrar expressão física (amiúde em crianças).

Transformação potencial posterior

- Vive em harmonia interior, irradia amor.
- Profunda compreensão das emoções humanas.
- Capaz de sentir prazer com as realizações e sucessos dos outros, ainda que ele mesmo tenha problemas.
- Tem um sentido do plano das coisas, e é capaz de reconhecer cada pessoa em seu devido lugar.

Medidas de apoio
- Faça exercícios de ioga para estimular o chacra do coração.
- Faça trabalho em grupo de todos os tipos.
- Apaixone-se.

Afirmações positivas para praticar

"Amo e sou amado."
"Faço parte do todo."
"Abro meu coração."

16. HONEYSUCKLE
Lonicera caprifolium

Trepadeira vigorosa, fragrante, encontrada em regiões arborizadas, nas orlas das florestas e nas charnecas. As pétalas, avermelhadas por fora e brancas por dentro, ficam amarelas durante a polinização. Menos comum do que a madressilva de flores amarelas, floresce de junho a agosto.

Princípio

Honeysuckle relaciona-se com o princípio da capacidade para mudança e para estabelecer vínculos. No estado negativo de *Honeysuckle*, a conexão com a corrente da vida é fraca.

O problema, neste caso, reside na falta de mobilidade interna. Existe certa inércia; vagamos mentalmente no lugar errado no momento errado, e, por isso mesmo, somos incapazes de agir. O exemplo clássico é o da história da mulher de Ló, que se transformou em estátua de sal, por não haver dado atenção às palavras do anjo-guia, deixando-se arrastar pelo passado e voltando-se a fim de olhar para Sodoma, em vez de concentrar todas as energias no presente, na fuga.

A pessoa no estado de *Honeysuckle* vive mentalmente, em grande parte, no passado. Para transpor o abismo que a separa do presente faz-se mister grande dose de energia psíquica.

No estado negativo de *Honeysuckle* a personalidade recusa-se a ser guiada pelo Eu Superior, de acordo com as leis da alma, ainda que nem sempre as compreenda. Ignora o fato de que um dos princípios mais importantes da vida é a mudança constante, de que tudo está num estado de fluxo. Ao invés disso, quer determinar seu próprio destino, particularmente no que concerne à experiência emocional. Os padrões que aplica neste caso, centrados em si mesmos, são, portanto, estreitos.

A viúva que, há anos, conserva o escritório do finado marido de modo que dê a impressão de que o morto acabou de levantar-se da escrivaninha, está no estado de *Honeysuckle*. Exemplo ainda mais extremo é o da atriz de cinema que não se modificou desde os dias de glória. Cinqüentona, ainda usa os vestidos, o penteado e a maquilagem da "linda bonequinha", papel que, outrora, a tornou tão famosa. Outras pessoas que necessitam de *Honeysuckle* são a moça que não quer saber de um novo relacionamento depois da morte do noivo, e o engenheiro na África que sente saudades de casa. Ou o casal que precisou mudar-se para outra parte da cidade e agora não pára de falar na falta que lhe faz o antigo bairro. Não admira que não possa instalar-se convenientemente nem travar novas amizades com essa atitude.

Tais pessoas se recusam inconscientemente a ver e aceitar novos desenvolvimentos. Os tipos *Honeysuckle* iniciarão as frases com "Eu costumava. . ." e "Quando eu ainda estava em. . ." mais freqüentemente do que as outras pessoas. Isso mostra que estão agarradas ao passado, não o tendo ainda digerido como seria de esperar. São incapazes de fazer uma conexão viva entre o que foi e o que é, porque não podem, ou não querem, considerar o passado de todos os ângulos. Fixam a mente num aspecto apenas, de ordinário um aspecto agradável. Em razão disso, suas experiências más não são integradas e nenhum proveito pode ser extraído delas para o maior desenvolvimento da personalidade.

O estado do tipo *Honeysuckle* é compreensível, e, de certo modo, normal, nos idosos que se encontram no processo de "acertar suas contas internas". Sobretudo hoje, quando os velhos são sistematicamente alijados da corrente ativa da vida, compreende-se que queiram recolher-se, na mente, aos dias melhores de antanho. O estado do tipo *Honeysuckle* abarca o pesar pelas oportunidades perdidas, pelas possibilidades que se foram, e pelas esperanças não realizadas. *Honeysuckle* ajuda os moribundos a "largar-se" mais facilmente.

A respeito de *Honeysuckle* escreveu Bach: "Este é o remédio para aliviar a mente dos pesares e das tristezas do passado, para neutralizar todas as influências, todos os anelos e desejos do passado e para trazer-nos de volta ao presente."

No estado transformado de *Honeysuckle* temos uma conexão viva com o passado, aprendendo com ele, mas sem nos agarrarmos a ele desnecessariamente. Somos capazes de trabalhar com o passado. Vistos por esse prisma, arqueólogos, historiadores e antiquários se encontram num estado positivo de *Honeysuckle*. Na psicologia de grupo, ou na terapia da reencarnação, *Honeysuckle* ajuda a estabelecer o elo entre o passado e o presente, e assegura que se dê ao passado o seu justo valor.

O estado negativo do tipo *Honeysuckle* vai se formando geralmente durante um bom período; embora possa ser também de curta duração, sobretudo em crianças, que auxilia com freqüência quando estão saudosas em internatos.

É interessante notar que *Honeysuckle* pode ser usado para combater o desgosto de uma pessoa por estar ficando velha. Uma especialista em tratamentos de beleza adiciona gotas de *Honeysuckle* à sua loção facial. O estado psicológico de pesar acelera o envelhecimento da pele, e uma atitude negativa básica como essa encontra expressão, primeiro que tudo, no porte da pessoa, e, finalmente, na firmeza da pele.

O estado do tipo *Honeysuckle*, em certo sentido, é muito semelhante ao do tipo *Clematis*. Ambos têm por característica o fato de que a pessoa não se interessa pelo presente e não vive no aqui e agora. A diferença é que:

Honeysuckle Foge para o passado e não espera nada de positivo do presente nem do futuro.
Clematis Foge do presente para uma vida de fantasia, à espera de um futuro melhor.

De vez em quando, é preciso fazer também distinção entre *Honeysuckle* e *Pine*.

Honeysuckle Pesar melancólico.
Pine Sentimentos de culpa genuínos.

Sintomas-chave do tipo Honeysuckle

Saudade do passado; sente pesar pelo passado; não vive no presente.

Sintomas devidos ao bloqueio da energia

- Refere-se constantemente ao passado, em sua mente e na conversação com outros.
- Glorifica o passado, esperando que ele volte.
- Rememora, melancólico, os bons velhos tempos.
- Não consegue recuperar-se da perda de uma pessoa amada (pai, filho, cônjuge).
- Às vezes, as lembranças da infância são inusitadamente pobres.
- Não consegue esquecer certo acontecimento do passado.
- Saudades do lar.

- Lamenta haver perdido uma oportunidade ou não ter realizado um sonho.
- Anseia por poder recomeçar.

Transformação potencial posterior
- Tem um relacionamento vivo com o passado, mas vive no presente.
- Aprendeu com a experiência passada, mas não se agarra a ela.
- É capaz de preservar, no presente, o que era belo no passado.
- É capaz de trazer o passado de volta à vida (como, por exemplo, um escritor, um arqueólogo, um historiador).

Medidas de apoio
- Assuma novas responsabilidades (como, por exemplo, um bicho de estimação, a conservação de um jardim, um cargo honorário numa associação local).
- Ocupe-se dos problemas do presente.
- Dedique-se a passatempos artísticos (por exemplo, dança, canto, música).

Afirmações positivas para praticar

"Nada jamais permanece o mesmo."
"A vida está acontecendo agora."
"Cada dia é novo e emocionante."
"Estou me identificando com minhas tarefas atuais."

17. HORNBEAM
Carpinus betulus

Árvore superficialmente semelhante à faia, porém menor e mais verde, que cresce isolada ou em grupos nas matas e nos bosques. As flores pendentes masculinas e as flores erectas femininas, de um verde pardacento, desabrocham em abril ou maio.

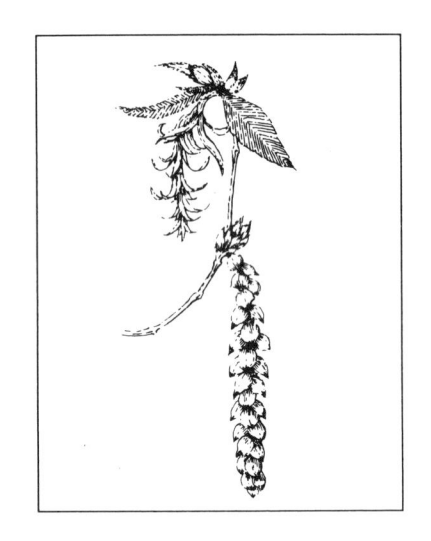

Princípio

Hornbeam associa-se ao potencial da alma ligado à vitalidade interior e ao viço da mente. No estado negativo de *Hornbeam*, sentimos grande cansaço e exaustão, muito embora isso ocorra sobretudo na mente.

Toda a pessoa que trabalha em escritório conhece a sensação provocada pelo despertador ao soar na segunda-feira de manhã e pela rotina enfadonha que ela tem pela frente. O que se anuncia é uma semana de trabalho familiar e monótona, que demanda pouca responsabilidade autêntica, mas faz muitas exigências. Um milhar de coisinhas, cujo progresso é preciso acompanhar, rotinas que têm de ser mantidas, coisas com as quais não se lidou ainda. Tudo isso avulta diante de nós, qual montanha escura, e sentimos que nos faltam forças para enfrentá-la; embora, quase sempre, a acabemos enfrentando.

A lassidão de *Hornbeam* é um estado de exaustão, nascido de exigências unilaterais no plano mental, não havendo nada que lhe sirva de compensação em outros planos. Pode ser um estado transitório, mas também pode tornar-se crônico. Transitório, por exemplo, quando um estudante estuda ansiosamente durante meses para prestar um exame, ou quando um paciente passa muito tempo na cama com uma perna quebrada, lendo, pensando, planejando. Uma espécie de fadiga cerebral fá-lo achar que ainda não está pronto para os exercícios físicos.

A fadiga mais prolongada de *Hornbeam* é característica do cidadão moderno abonado, que consome muito e produz muito pouco. Enfia na cabeça um número muito maior de impressões do que as que é capaz de assimilar mentalmente, e, com a cabeça pesada, acha difícil levantar-se de manhã. Vive uma vida padronizada, em que até o lazer e os feriados seguem o padrão estabelecido e parecem, às vezes, mais uma obrigação do que outra coisa qualquer. Os eventos externos podem ser relativamente numerosos, mas, internamente, pouquíssima coisa acontece.

O interessante é que a fadiga do tipo *Hornbeam* desaparece instantaneamente quando sobrevém alguma coisa fora do comum, que desafia a pessoa em outro nível, puxando-a para fora da sua rotina mental.

O erro com o estado negativo de *Hornbeam* reside nos limites impostos à personalidade por ela mesma, muitas vezes com um pendor materialista. A personalidade tem "vista curta" e "ouvidos moucos" no que se refere aos impulsos do Eu Superior, preferindo ater-se aos padrões familiares automáticos. Priva-se, assim, cada vez mais, de oportunidades de desenvolvimento e de tudo o que realmente torna a vida essencial e digna de ser vivida.

No estado negativo de *Hornbeam* o sistema de energia da pessoa foi conturbado pelas exigências unilaterais no plano mental e pelo fato de terem sido feitas muito poucas exigências nos outros planos. Os diferentes planos não se comunicam suficientemente, interrompe-se a troca de energia, e reduz-se-lhe a conversão. O único resultado possível é um déficit energético.

Os sensitivos descrevem as energias da Flor de *Hornbeam* como um chuveiro frio refrescante, com os níveis individuais de energia igualando-se outra vez, tonificados. Já se disse que *Hornbeam* "enrijece a espinha". A cabeça torna-se clara, as percepções mais vívidas, os impulsos do Eu Superior voltam a atravessá-la. Redescobre-se a maneira correta de alternar a atividade com a passividade. A vida e o trabalho são de novo um prazer, e obtemos a certeza de que teremos a força necessária para realizar o que desejamos.

Hornbeam raramente aparece sozinho num diagnóstico. Vem amiúde combinado com *Olive*, *Gentian* ou *White Chestnut*. Alguns especialistas recomendam *Hornbeam*, em compressas, para olhos cansados e irritados, outros para fortalecer as veias varicosas. O efeito tônico sobre as energias revelou-se útil na reabilitação dos viciados em drogas. Finalmente, *Hornbeam* é outro Remédio Floral que dá novo vigor às plantas flácidas.

Diferenciação entre o cansaço de *Hornbeam* e o de *Olive:*

Hornbeam   Cansaço produzido por um estilo de vida unilateral, sobretudo no plano mental.

Olive   Exaustão genuína, em virtude de se haver a pessoa gasto totalmente em diversos planos.

Sintomas-chave do tipo Hornbeam

Cansaço; exaustão mental, passageira ou prolongada, procrastinação.

Sintomas devidos ao bloqueio da energia

- Cabeça pesada, cansado e exausto.
- Ressaca mental, "sensação de segunda-feira de manhã".
- Dor de cabeça depois de assistir à televisão por muito tempo, depois de ler muito, estudar muito, e outras exigências feitas aos sentidos.
- Sensações privadas de vigor; bloqueio mental.
- Ao acordar, dúvidas de que as tarefas do dia poderão ser levadas a bom termo; mas isso melhora depois que começamos a enfrentá-las.
- Exausto ao pensar que tem de enfrentar outra semana cinzenta.
- Depois de uma doença prolongada: recupera lentamente a vontade de voltar ao trabalho.
- Acredita ser impossível encetar o trabalho sem estimulantes, como o café, o chá, ou alguma outra forma de tônico.
- Reanima-se quando ocorre inesperadamente alguma coisa interessante.
- A vida está exageradamente organizada e tem um excesso de rotina.
- Levanta-se mais cansado da cama, pela manhã, do que se sentia ao deitar-se.
- Pressão ou sensação de queimadura nos olhos ou em torno deles.
- Freqüente degeneração do tecido conjuntivo.
- Exaustão, através dos anos, em virtude de um estilo de vida unilateral, de uma ocupação sedentária, ou exercícios muito reduzidos.

Transformação potencial posterior
- Mente vivaz, cabeça clara e fria, aprecia a variedade.
- É claro que seremos capazes de cumprir as tarefas que temos pela frente, ainda que pareçam estar acima de nossas forças.

Medidas de apoio
- Quebre a rotina.
- Arrume uma atividade física compensatória, mas não estabeleça metas muito altas.
- Siga espontaneamente idéias repentinas.
- Mude de cenário.

Afirmações positivas para praticar

"Sinto-me desperto e vigoroso."
"Seguirei meus impulsos espontâneos."
"Farei o que me der prazer. E tudo o que eu fizer me dará prazer."

18. IMPATIENS
Impatiens glandulifera
(I. royalei)

Planta anual carnuda, que chega a medir 180 cm de altura; cresce em margens de rios e canais e em terras baixas e úmidas. A coloração das flores vai do carmesim ao avermelhado malváceo e aparece entre julho e setembro.

Princípio

 Impatiens relaciona-se com as qualidades da alma ligadas à paciência e à delicadeza. No estado negativo de *Impatiens*, somos impacientes, e nossa tensão interior tende a tornar-nos irritadiços para com os demais.
 Rápidos no pensar, todos os outros nos parecem muito lentos. Sentimo-nos como um puro-sangue obrigado a puxar um arado ao lado de um cavalo de tiro. Embora frustrados por dentro, adaptamo-nos ao ritmo mais lento de vida e de trabalho dos outros. Essa adaptação a um nível energético inferior exige grande quantidade de energia, e conduz a uma constante tensão mental.
 As pessoas do tipo *Impatiens* nem sempre são populares como superiores, porque, sabendo fazer tudo melhor do que os outros, não são exatamente diplomáticas quando resolvem mostrá-lo: "Não se incomode, deixe isso. No tempo que levarei para explicar tudo a você, terei acabado sozinho." Os instrutores do tipo *Impatiens* acham muito difícil pacientar ao lado dos instruendos, observando-lhes as desengonçadas tentativas iniciais.
 Não é prudente fazer algum comentário crítico a alguém que se acha no estado de *Impatiens*, por mais diplomaticamente que o faça. É muito provável que ele se encolerize, se bem que a cólera passe tão depressa quanto veio. Os patrões do tipo *Impatiens* tendem a "puxar" pelos funcionários de tal maneira que acabam conhecidos como "tocadores de escravos".

O fato deplorável é que as pessoas do tipo *Impatiens* não assumem o seu papel com alegria. Não ambicionam comandar – à diferença do tipo *Vine*, por exemplo – e preferem trabalhar sozinhas e fazer as coisas de acordo com o seu próprio ritmo, sem nenhuma interferência de fora. A independência lhes é muito cara. O tipo *Impatiens* conhece suas dificuldades, e, quando se encontra num estado de espírito igual, abrem-se aos bons conselhos e são gratos a eles.

As pessoas no estado negativo de *Impatiens* têm a mente mais ativa do que o comum. Vêem as coisas mais depressa, pronunciam sentenças com uma rapidez de metralhadora, reagem num átimo, tomam decisões *ad hoc* – e, por isso mesmo, naturalmente, acabam se esgotando mais depressa do que os outros.

A disposição para mudar constantemente de opinião é também aparente no exterior. O tipo *Impatiens* enrubesce de repente e, com a mesma rapidez, empalidece outra vez. A grande agitação interior também torna as pessoas do tipo *Impatiens* impetuosas e, portanto, sujeitas a acidentes. Elas, porém, têm menos acidentes do que se poderia esperar, porque, sendo capazes de reagir na hora, safam-se, assim, de muitas situações críticas.

O erro do estado negativo de *Impatiens* reside na excessiva obstinação e nos limites impostos à personalidade por ela mesma. Os indivíduos do tipo *Impatiens* esquecem-se de que cada pessoa é uma parte do grande todo, e que, ao cabo de tudo, todos dependemos uns dos outros, incluindo os que nos parecem menos capazes, e vice-versa. A personalidade tampouco é de opinião que alguém mais capaz possa ser solicitado a colocar seus talentos maiores a serviço de outros, a fim de ajudá-los no desenvolvimento. As pessoas do tipo *Impatiens* precisam aprender a fazer o mais difícil para elas: manter-se fora do envolvimento ativo, deixar as coisas acontecerem, praticar a paciência. Isso lhes será mais fácil se, em vez de operarem a partir do seu poderoso plano mental, pensarem com o coração.

Os tipos positivos de *Impatiens* mostram grande empatia, delicadeza de sentimentos e paciência angelical. Compreendem a natureza diferente dos outros, e colocam diplomaticamente a serviço deles a sua rapidez mental, o seu poder de decisão e a sua inteligência.

Na prática, *Impatiens* também se revelou muito útil na vida cotidiana da família. As crianças que se arreliam quando levadas às compras ou a uma visita, com acessos de mau humor, respondcrão bem e depressa a *Impatiens*, e o mesmo acontecerá aos pais que perdem logo a paciência com os filhos.

O estado do tipo *Impatiens*, por via de regra, é óbvio, pois essas pessoas são naturalmente extrovertidas. Quando não revelam o seu estado com palavras, fazem-no por meio de gestos: tamborilando nervosamente com os dedos sobre a mesa, por exemplo. Quando os gestos também não o revelam, o estado, às vezes, é indicado por erupções cutâneas, irritações da pele, etc. Coibido ainda mais, revelar-se-á pelo seu contrário – indolência extrema e falta de iniciativa. Crianças com traços vigorosos do tipo *Impatiens* devem ser orientadas para profissões que lhes permitam ser independentes e confiantes em si mesmas.

O estado do tipo *Impatiens* é claramente distinto do do tipo *Vervain*:

Impatiens Tensão interna em virtude de frustração nervosa, porque as coisas não andam com suficiente rapidez. Não a imporá aos outros se deixarem que trabalhe sem ser perturbado.
Vervain Tensão interna originária do excesso de força de vontade. Sempre inclinado a "inspirar" os outros.

Sintomas-chave do tipo Impatiens

Impaciente, irritadiço, reações excessivas.

Sintomas devidos ao bloqueio da energia

- Tensão proveniente de rápida atividade mental.
- Espera que tudo ande depressa e suavemente.
- Acha difícil aguardar que as coisas sigam o seu curso.
- As pessoas que trabalham mais devagar causam-lhe frustração.
- Espontâneo, ativo, enérgico.
- Impaciente e falta de tato no trato com outros, mais lentos.
- A impaciência fá-lo tirar as palavras da boca dos outros.
- Impacientemente, toma as coisas nas próprias mãos.
- A impaciência leva-o a decisões precipitadas.
- Insta com os outros que se apressem.
- Prefere trabalhar só, no próprio ritmo.
- Não suporta os tolos com alegria.
- Grande desejo de independência.
- Esquenta-se com facilidade e é seco e brusco, mas a raiva passa com a mesma rapidez.

- Tensão interior extrema torna-o sujeito a acidentes, embora seja capaz de reagir prontamente.
- Exaustão a curto prazo: fome súbita, porque os recursos energéticos são esvaziados pelo ritmo acelerado.
- Reações físicas possíveis: dor súbita procedente da tensão nervosa; indigestão nervosa; ondas de calor.
- Indigestão nervosa.
- Ondas de calor.

Transformação potencial posterior
- Apanha rapidamente as coisas, pensa e age depressa.
- Mente independente.
- Dons acima da média.
- Paciência, delicadeza de sentimentos.
- Delicadeza, empatia e compreensão dos outros.
- Capaz de usar os próprios talentos diplomaticamente em benefício de todos.

Medidas de apoio
- Respire fundo antes de dizer alguma coisa.
- Arranje uma vazão para a frustração com uma forma adequada de exercício físico.
- Durma o bastante.
- Em casos renitentes: pense numa possível mudança de ocupação.

Afirmações positivas para praticar
"Ouço com o coração."
"Antes a profundidade que o ritmo!"
"Cada qual tem sua própria velocidade."

19. LARCH
Larix decidua

Árvore graciosa, que atinge uma altura de mais de 30 metros, prefere os morros e as orlas das florestas. As flores masculinas e femininas crescem na mesma árvore. Desabrocham numa ocasião em que as agulhas acabam de tornar-se visíveis como minúsculos tufos verdes e brilhantes.

Princípio

Larch relaciona-se com a qualidade da alma ligada à confiança em si. No estado negativo de *Larch*, a pessoa se sente inferior aos outros desde o princípio.

Já não se trata de duvidar das próprias capacidades, mas de uma absoluta convicção de inferioridade. Como parecemos saber que não podemos fazer certas coisas, nem sequer tentamos fazê-las. Com isto, a pessoa do tipo *Larch* priva-se da melhor coisa que a vida tem para oferecer: a oportunidade de aprender, mudar através de experiências novas, e viver a vida plenamente. A personalidade não se desenvolve; ao invés disso, empobrece. O que sobra é uma sensação de desalento e uma melancolia inteiramente inconsciente.

O erro, neste caso, reside em que a personalidade se aferra demasiado a experiências negativas passadas, em lugar de deixar-se guiar pelo Eu Superior, confiando nele, no conhecimento de que o êxito e o malogro têm, afinal de contas, valor igual.

Muitas pessoas acham difícil reconhecer os próprios limites. Com *Larch*, acontece exatamente o contrário. Limites específicos são tomados como coisa assente desde o princípio, e significam que não pode haver desenvolvimento.

As pessoas do tipo *Larch* aparecem, amiúde, muito sensíveis aos que os rodeiam, parecendo assaz lógicas as razões por que elas não podem, ou não querem, fazer certas coisas: "Sendo mulher, realmente não tenho oportunidade alguma." "Não obtive distinções em nível nenhum, como outras pessoas." "Eu gostaria, mas sei desde já que não conseguirei."

Os fundamentos desses sentimentos autênticos de inferioridade foram, em regra geral, assentandos na infância, e até antes disso. Muitas vezes o bebê assimilou a atitude negativa dos pais com o leite materno. A certeza do malogro passou a ser uma resposta embutida e automática, reforçada por cada novo fracasso. Dessa maneira, instaura-se um círculo vicioso.

Assim como a árvore *Larch* é mais delicadamente estruturada, assim as pessoas que têm necessidade freqüente de *Larch* são também delicadamente estruturadas do ponto de vista psicológico, e nem sempre têm robustez e poder de decisão suficientes para resistir à programação negativa que lhes é inerente. O que é uma pena, pois elas são, de ordinário, não só igualmente capazes, mas, na verdade, mais capazes do que os outros.

Exemplo típico é o da assistente de comprador de uma cadeia de lojas, que começou como secretária, mas, com o passar dos anos, se mostrou mais capaz e eficiente do que o chefe. Quando vaga o cargo de compradora em outro departamento, os colegas generosamente a aconselham a candidatar-se a ele. No entanto, ela recusa, dizendo que só foi treinada para ser secretária, argumento totalmente sem sentido em vista das suas qualificações atuais. Ao mesmo tempo, falará com admiração inconsciente de uma amiga que se atreveu a dar um passo semelhante e foi bem-sucedida. Não há inveja (*Holly*) nem amargura (*Willow*) em suas palavras, mas apenas o tipo errado de modéstia, completamente deslocada na opinião dos colegas, uma modéstia que lhe abafa o anseio não realizado de desenvolvimento.

A energia de *Larch* ajuda a dissolver os conceitos fixos, autolimitantes da personalidade e permite a fruição do verdadeiro potencial. De certo modo, somos repentinamente capazes de adotar uma visão mais "relaxada" das coisas e de ponderar nas alternativas. A iniciativa pode ser tomada, e a expressão "Não posso" desaparece do vocabulário. Continuando a avaliar as coisas criticamente, mas desde um ponto de vista basicamente positivo, agora se torna possível enfrentar quase todas as situações. Desenvolve-se uma atitude muito humana, em que o próprio ego se mantém em equilíbrio conveniente.

Usa-se *Larch*, na prática, assim para o tratamento a longo prazo, como para lidar com problemas temporários relacionados com a confiança em si mesmo. Tem-se revelado útil antes de exames, por exemplo, durante os procedimentos do divórcio, quando as duas partes costumam sofrer grandes golpes desferidos contra o seu amor-próprio, e no caso de crianças que não se aventuram a fazer nada sozinhas, mas desejam sempre que papai ou mamãe o façam primeiro.

Alguns profissionais têm obtido também bons resultados no tratamento de alcoólicos que bebem para "esquecer que não são tão capazes quanto os outros", e no tratamento de problemas com a potência sexual, expressos pela típica atitude de que estamos destinados a falhar outra vez.

Sintomas-chave do tipo Larch

Espera falhar, em razão da falta de confiança em si próprio; complexos de inferioridade.

Sintomas devidos ao bloqueio da energia

- Sente-se automaticamente inferior aos outros.
- Admira os outros, não se acredita capaz de triunfar.
- Nunca espera coisa alguma senão o fracasso.
- Como está firmemente convencido de que não pode fazer alguma coisa, nem tenta fazê-la.
- Hesitante e passivo, em virtude da falta de confiança em si.
- Usa a enfermidade como desculpa para não precisar arrostar um problema qualquer.
- Falsa modéstia por falta de confiança em si.
- Sente-se inútil e impotente.

Transformação potencial posterior

- É realista no enfrentamento dos problemas.
- Persevera, até quando há impedimentos.
- É capaz de avaliar situações objetivamente.

Medidas de apoio

- Procure compreender que todos experimentamos o que temos em mente.
- Observe que outros também estão fazendo o melhor que podem.
- Procure novas experiências, novas pessoas, novos passatempos, a fim de poder conhecer mais e mais facetas da sua personalidade.

Afirmações positivas para praticar

"Estou abrindo mão de todas as noções limitantes."
"Posso fazê-lo. Hei de fazê-lo. Estou fazendo."
"Cada dia é um novo começo."

20. MIMULUS
Mimulus guttatus

Imigrante da América do Norte, esta planta perene, de cerca de 30 cm de altura, cresce ao longo de regatos, rios e em lugares úmidos. As grandes flores solitárias amarelas desabrocham entre junho e agosto.

Princípio

Mimulus relaciona-se com as qualidades da alma ligadas à coragem e à confiança. No estado negativo de *Mimulus*, precisamos aprender a superar nossos medos.

As pessoas do tipo *Mimulus* têm um ou mais medos concretos, como, por exemplo, o medo de entrar em escadas rolantes, o medo do câncer. São medos tangíveis, que surgem na vida de todos os dias, como ficar nervoso ao convidar pessoas para irem à nossa casa, ou medo de tomar injeção na cadeira do dentista. Essas pessoas nunca falarão espontaneamente dos seus temores, mas, se lhes for feita uma pergunta direta, esta produzirá mais e mais ansiedades e medos: medo de ficar só, medo de brigas por causa do dinheiro para a manutenção da casa, medo de cobras, etc. A lista dos medos do tipo *Mimulus* é interminável. Inclui, praticamente, todas as variedades do tema dos grandes medos arquetípicos a que o homem está sujeito em sua vida na terra.

Alguns especialistas dos Remédios Florais do Dr. Bach são de opinião que os medos do tipo *Mimulus* representam um resíduo do medo arquetípico do recém-nascido, o medo do mundo cruel e da vida no corpo físico. O bebê do tipo *Mimulus*, que começa a chorar ao acordar, quando não existe nenhuma razão aparente para isso, mostra claramente quão penoso há de ser para ele entrar nesta realidade física. As pessoas no estado negativo de *Mimulus* dizem, às vezes, que a vida na terra é como um fardo nas costas, e que elas desejam amiúde poder simplesmente retirar-se dela.

Pessoas com traços acentuados de *Mimulus* tendem a ser de constituição delicada ou a patentear outros sinais externos de delicadeza. Algumas nos lembram lindas bonecas de porcelana em forma humana. Outras parecem camundongos assustados, sempre precisadas de certa dose de proteção. Os tipos de *Mimulus*, muito sensíveis fisicamente, podem, na presença dos outros, ruborizar-se, tartamudear ou sentir de repente um entalo na garganta. Outras falam demais, por puro nervosismo, dão risadinhas abafadas e despropositadas, ou ficam com as palmas das mãos úmidas. Existem também as que são capazes de disfarçar o seu estado negativo de *Mimulus*, dando a impressão de serem fortes e extrovertidas na vida de todos os dias. Só quando lhes dirigimos um segundo olhar reparamos que elas em realidade, são reservadas e sensíveis, e que, bem no fundo do coração, realmente não querem saber de muita intimidade com o mundo. Eis aí um traço que se descobre, com freqüência, em artistas, músicos, atores e pintores.

As pessoas no estado negativo de *Mimulus* requerem padrões mais sutis, e são, primeiro que tudo, incapazes de aceitar o mesmo que outros – preferem luzes menos ofuscantes, menos comida, número menor de atividades – são hipersensíveis a muitas coisas no meio ambiente, sentindo-se como um beija-flor preso numa colônia de gralhas.

Muitas pessoas do tipo *Mimulus* caem de cama se a pressão for demasiado forte. Exibirão, nesse caso, a "sua dor de cabeça", a "sua cistite", e coisas assim. Os pacientes do tipo *Mimulus* inclinam-se também a ser cuidadosos demais na convalescença, retardando, com isso, o processo de recuperação.

As pessoas do tipo *Mimulus* habitualmente pacíficas, sobretudo pela sua sensibilidade, mesmo que sofram um ataque de raiva, este nunca será muito violento, sendo tão ameaçador para o ambiente quanto uma borboleta furiosa.

As pessoas que necessitam com freqüência de *Mimulus* precisam aprender duas coisas. Primeiro, a viver com sua constituição sensível, que é, de fato, primorosa. Isso significa também a capacidade de retirar-se do mundo, às vezes, sem se sentir culpado, a fim de recarregar as baterias e proporcionar aos nervos a oportunidade de recobrar-se. É muito importante para elas terem o seu quarto. Os tipos de *Mimulus* também precisam entrar em acordo com o fenômeno do medo, e compreender que os seus pensamentos ansiosos são forças propensas a materializar-se, como todos os pensamentos; toda nova ansiedade reforçará a primeira, atando novas energias e fazendo a pessoa enredar-se cada vez mais em suas ansiedades.

"No mundo passais por aflições; mas tende bom ânimo, eu venci o mundo." Estas palavras do Evangelho de João fornecem a chave do estado de *Mimulus*. Enquanto a personalidade usar apenas padrões mundanos, ver-se-á, muitas e muitas vezes, fazendo face a medos concretos. Se ela, todavia, se deixar guiar pelas leis da alma, renunciar às suas limitações mundanas e voltar-se mais para o grande todo, será capaz de vencer o mundo, isto é, os medos.

Tomando *Mimulus*, encontramos o caminho para sair da confusão de medos e ansiedades, de volta à nossa natureza verdadeira. Verificaremos que o medo, primariamente, é um problema da nossa própria mente e pode ser enfrentado por ela, de modo que aprendemos a tratá-lo mais efetivamente. Dessa maneira, uma pessoa do tipo *Mimulus* pode crescer para além das suas ansiedades e usar o seu belo senso de humor e a sua compreensão humana para ajudar os que se encontram na mesma situação.

Quando *Mimulus* aparece na entrevista para o diagnóstico, o medo concreto do momento deve ser mencionado especificamente mais de uma vez na conversação, e deve dizer-se que *Mimulus* ajudará a resolver o bloqueio da ansiedade. Se a ansiedade desaparecer no decurso do tratamento, a experiência mostra que várias outras ansiedades se dissolverão ao mesmo tempo.

A distinção dos medos vistos com *Rock Rose*, *Aspen* e *Mimulus* é a seguinte:

Rock Rose Medos acutíssimos, que confinam com o terror.
Aspen Medos vagos de presságios e apreensões, que não podem ser claramente definidos.
Mimulus Medos gerais, provenientes de condições conhecidas.

Sintomas-chave do tipo Mimulus

Medos específicos que podem ser nomeados; acanhamento; timidez; medo do mundo.

Sintomas devidos ao bloqueio da energia

- Acanhado, tímido, reservado, muito sensível fisicamente.
- A confusão da vida é assustadora, mas os medos são mantidos em segredo.
- Ansiedades e fobias específicas, como:
  Medo do frio; medo do escuro; medo de doença e da dor; medo

do câncer; medo da morte; medo do futuro; medo de acidentes; medo pela saúde; medo de perder os amigos; medo do telefone; medo de aranhas, ratos, cães, etc.

- Todas as espécies de hipersensibilidade: ao frio; ao ruído; à rudeza; às palavras pronunciadas em voz alta; ao conflito; às contradições; à agressão; a pessoa não quer que lhe dirijam a palavra, etc.
- Inseguro em virtude do nervosismo, tem dificuldades ocasionais para falar ou gagueja; riso nervoso.
- Enrubesce com facilidade.
- Tem medo de ficar sozinho, mas mostra-se acanhado e nervoso na companhia de outros.
- Fica muito ansioso quando encontra oposição ou quando as coisas não dão certo.
- A presença de outros o enerva.
- Excessivamente cauteloso durante a convalescença, não se atreve, por exemplo, a movimentar a perna quebrada com medo de machucá-la ou de desarrumar o curativo.
- Adoece com facilidade quando enfrenta as coisas de que tem medo.

Transformação potencial posterior

- Belo caráter; sensível.
- Ultrapassou as ansiedades, é capaz de enfrentar o mundo com equanimidade.
- Coragem pessoal e compreensão dos que se encontram em situação semelhante.

Medidas de apoio

- Aceite o fato de que você é diferente e de que a sensibilidade é algo precioso.
- Crie um espaço físico livre ao seu redor, seja dono de um aposento para o qual pode retirar-se quando quiser recuperar-se.
- Lute mentalmente com o fenômeno da ansiedade.
- Cuide dos rins.

Afirmações positivas para praticar
"Todo problema é uma oportunidade de crescimento."
"Já me libertei do medo."
"Sinto força e coragem interior."
"Confio no meu guia interior."

21. MUSTARD
Sinapis arvensis

Planta anual, de 30 a 60 cm de altura, que cresce nos campos e à beira dos caminhos. As flores amarelas brilhantes formam primeiro espigas curtas, que logo se desenvolvem, transformando-se em vagens. Floresce de maio a julho.

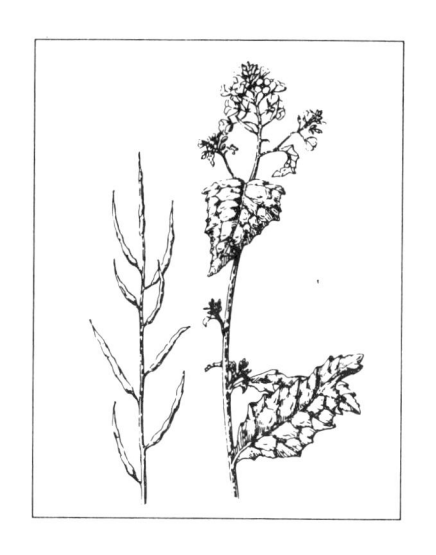

Princípio

Mustard relaciona-se com as qualidades da alma ligadas à jovialidade e à serenidade. No estado negativo de *Mustard*, uma depressão negra cai sobre a pessoa como nuvem escura.

De um momento para outro, desce a melancolia, uma tristeza inesperada. Envolve-nos, colocando uma camada isolante de profundo desespero entre nós e o resto do mundo. Subitamente, sentimo-nos como se fôssemos um estranho em nossa própria vida, com todos os pensamentos voltados para nós, e todas as energias aparentemente drenadas por um canal invisível. Enquanto a força escura nos circunda, estamos completamente à sua mercê, e não há como escapar-lhe – nem pela diversão nem pela razão. Tampouco é possível recobri-la, como faz *Agrimony*. O peso escuro e imóvel, demasiado forte, nos mantém prisioneiros enquanto não se ergue de moto próprio, desaparecendo tão subitamente quanto apareceu. Ouve-se um suspiro de alívio e gratidão – até a descida da nuvem seguinte.

Todos nós já experimentamos esses ataques inesperados de melancolia, embora nem sempre em sua forma extrema, mas o estado do tipo *Mustard* também se desenvolve, não raro, em planos mais internos, quando não é notado conscientemente.

Ele mostra claramente que todo estado negativo da alma é um estado de redução da freqüência de energia, de modo que todas as funções são reprimidas: física (lentidão do movimento), mental (falta de ímpeto) e espiritual (percepção reduzida). No estado negativo de *Mustard* existe a sensação específica de uma freqüência externa desconhecida, que domina largamente as freqüências da personalidade, e corta quase de todo, por algum tempo, a conexão com o mundo exterior.

Não é fácil, por conseqüência, responder à pergunta tocante à situação do erro neste estado. Ela pode ser apreciada de diferentes pontos de vista.

O problema não parece limitado à existência terrena presente. Os pensadores esotéricos dirão que as razões do estado negativo de *Mustard* são cármicas, e nascem das profundezas da alma. O estado do tipo *Mustard* é a conseqüência de havermos caído de grande altura. É a queda de uma personalidade que já esteve muito adiantada, mas usou as faculdades excepcionais, que lhe deram acesso a forças cósmicas em outras formas de existência, só para os seus fins limitados, desperdiçando-as. Ela explorou recursos íntimos, que deveriam ter sido apenas o instrumento da alma e dos poderes espirituais superiores. Visto por esse prisma, o estado negativo de *Mustard* é aquele em que a alma deplora o potencial perdido, e a personalidade tem de experimentá-lo em dolorosa impotência.

A experiência de estar imóvel, totalmente separada da alma, seu verdadeiro manancial de vida, mais cedo ou mais tarde induzirá a personalidade a suspirar de novo pela luz da alma, e, portanto, a reaproximar-se dela. Demonstrou a experiência que o estado de *Mustard* se alivia assim que é aceito, e a pessoa passa, consciente, pelo estado de tristeza e se libera.

Visto assim, todo estado negativo de *Mustard* torna-se um dom precioso, semelhante a *Sweet Chestnut*, reabrindo a porta que dá para as profundezas da alma, que se haviam perdido de vista.

O estado de *Mustard* ocorre antes de se darem passos decisivos no desenvolvimento. No transcurso do desenvolvimento espiritual, quase todos passamos pelas fases negativas de *Mustard*, de modo que também podemos experimentar essa escura energia cósmica dentro de nós mesmos, viver dolorosamente no meio dela, e transformá-la.

Algumas pessoas parecem ter uma afinidade especial por essa qualidade de energia e ser mais capazes de transformá-la dentro de si mesmas do que outras. Pode ser um conforto para elas saber que toda transformação levada a efeito no indivíduo exerce um efeito sobre os demais e sobre o grande todo, e saber que, com cada dia negro de *Mustard* vivido completamente, elas também trazem um pouco mais de luz ao nosso planeta, o que as tornará capazes de viver seus sentimentos depressivos com íntima satisfação.

Edward Bach escreveu: "Este remédio dispersa a melancolia e traz alegria à vida." A pessoa que tomar *Mustard* terá a sensação de estar despertando lentamente de um sonho escuro e pesado.

As pessoas que estiverem no estado positivo de *Mustard* terão uma sensação de alegre serenidade interior, que as acompanhará tanto nos dias cinzentos quanto nos ensolarados. Ainda vêem as nuvens negras, mas já não se deixam deprimir por elas.

Diferenciação entre *Mustard* e *Gentian*:

Mustard Melancolia que vai e vem, sem nenhuma razão aparente.
Gentian A razão dos sentimentos depressivos é conhecida, como, por exemplo, a menopausa, a crise da meia-idade, a perda de um emprego, etc.

A diferença essencial entre o estado de *Mustard* e o de *Sweet Chestnut* é a seguinte:

Mustard Mais passivo, mais emocional, não sabe o que está acontecendo, pois não há conexões manifestas entre ele e o resto da vida.
Sweet Chestnut Mais ativo; capaz de expressar com palavras o seu profundo desespero.

Sintomas-chave do tipo Mustard

Períodos de melancolia profunda, desalento, aparecem e desaparecem de repente, sem nenhuma razão manifesta.

Sintomas devidos ao bloqueio da energia

- Alguma coisa pesada, negra, desconhecida desce; a alma está de luto.
- Sentimentos melancólicos, depressivos chegam de repente, de um momento para outro, envolvendo a personalidade qual nuvem negra.
- A pessoa sente-se excluída da vida normal.
- Não vê nenhuma condição lógica entre essa condição e o resto de sua vida.
- Completamente introvertida, presa nas redes da melancolia, todas as suas energias estão voltadas para dentro.
- Incapaz de esconder dos outros esse estado de espírito.

- Incapaz de vencer esse estado de espírito com argumentos sensatos.
- Fica à mercê desse sentimento, até que ele se vai de moto próprio; depois se sente como se tivesse acabado de sair da cadeia.
- Tem medo dos acessos, porque é incapaz de fazer alguma coisa para debelá-los.
- Uma raiva não reconhecida, diante de uma situação ou de outra pessoa, pode ser um fator contribuinte.

Transformação potencial posterior
- Serenidade interior, jovialidade e estabilidade nos dias serenos e nos enfarruscados.

Medidas de apoio
- Reconheça o estado de espírito, ingresse nele plenamente, como, por exemplo, ouvindo música triste, dirigindo-se à praia num dia chuvoso, etc.
- Suspire por sua alma como se fosse um amante.

Afirmações positivas para praticar
"Sinto-me cheio de alegria."
"Estou me erguendo para a luz."
"Meu coração sente-se livre e feliz."
"Sou grato pelas horas de dor."

22. OAK
Quercus robur

O carvalho era considerado árvore sagrada pelos nossos antepassados. Cresce nas florestas e nos pastos. As flores masculinas e femininas desenvolvem-se na mesma árvore, florescendo entre o fim de abril e o princípio de maio.

Princípio

Oak relaciona-se com o potencial da alma ligado à força e à resistência. No estado negativo de *Oak* esses traços do caráter são manejados com excessiva rigidez.

Em vez de deixar-se tomar pela mão, falando em sentido figurado, pelo seu Eu Superior, e deixar-se guiar, através dos períodos difíceis e aprazíveis da vida, a personalidade, erroneamente, fica presa num estresse permanente de altas consecuções, escolhido por ela mesma. A vida é uma luta constante, e a pessoa do tipo *Oak* tem todos os atributos do vencedor: forças inatas de resistência, resistência quase sobrehumana,* tremenda força de vontade, coragem, devoção ao dever, esperança inquebrantável e altos ideais.

A personalidade do tipo *Oak* esqueceu que não é apenas a realização e a vitória que tornam a vida digna de ser vivida, e aqueles lutadores formidáveis também encontrarão forças para novos feitos nos mais sutis, alegres, ou ternos momentos da existência.

Se ela não permitir a si mesmo esses intervalos criativos, sua vida interior se tornará cada vez mais espartana e empobrecida. Ela trabalhará, mas seu coração não estará no trabalho. A resistência, imperceptivelmente, passará a ser um alvo em si mesma, e a pessoa um rígido motor de alto desempenho, que funciona automaticamente até que o

---

* É interessante notar que os carvalhos são tão resistentes que conseguem sobreviver em lugares em que as radiações da terra são tão poderosas que outras árvores, como as faias, morrem.

desgaste provocado pelo uso o faça parar. Haverá, então, um súbito ataque, um colapso nervoso, um "enguiço mental do pistão", e se a força de vontade for ainda maior, os sintomas serão físicos, baseados na rigidez e na perda da flexibilidade.

As pessoas que precisam de *Oak* têm uma aparência forte e rugosa. "Ele é o esteio da firma, um verdadeiro pé-de-boi, e o único no qual podemos realmente confiar," dirão outros, com admiração, de uma pessoa com traços acentuados do tipo *Oak*. "Não adianta a gente lamentar-se. Isso precisa ser feito!" dirá uma pessoa do tipo *Oak* arregaçando as mangas e continuando a trabalhar. As pessoas do tipo *Oak* conseguirão as primeiras notas nos cursos noturnos, ainda que para isso levem anos. As mães do tipo *Oak* são incessantemente ativas no trabalho pela família. Pode ser que não tenham tirado férias durante muitos anos, mas nunca admitirão estar sobrecarregadas de serviço.

As pessoas com as características do tipo *Oak* não escolhem o caminho mais fácil. Mantêm a família inteira unida nos momentos mais difíceis ou sustentam toda uma nação. Sua enorme contribuição nem sempre é devidamente reconhecida e recompensada adequadamente, e isso, em parte, acontece por sua própria culpa. O tipo forte de *Oak* sente sempre uma relutância interior em parecer fraco aos olhos dos outros. Aborrecido, nem sempre justificadamente, por tornar-se dependente, fará qualquer coisa para não pedir ajuda a ninguém.

As pessoas do tipo *Oak* têm o espírito nobre, na verdade régio. Ajudam espontaneamente os outros e nada os fará mais descontentes e infelizes do que se sentirem incapazes de cumprir as obrigações que aceitaram, em virtude da saúde abalada. Nada os deixará mais deprimidos do que decepcionar os outros no que acreditam que os outros esperam deles. Constitui uma alegria muito grande para eles sentir o prazer que deram aos que os rodeiam refletidos neles mesmos; prazer que acreditam dever negar a si próprios no seu caminho estrênuo e pedregoso pela vida afora.

Podemos perguntar o que leva as pessoas a optarem por tão tremenda façanha, nunca perdendo a coragem em face da adversidade, como fazemos quase todos nós. Do ponto de vista esotérico, isso pode ser respondido da seguinte maneira: Os tipos *Oak* estão convencidos, no íntimo, da grandeza e da imortalidade de sua alma, e consideram-se na obrigação de tratar com carinho essa herança. Experimenta-se a vida presente como uma "queda temporária da graça", em que a certeza interior da imortalidade da alma fornece a força para sobreviver à vida na terra. As vicissitudes externas da jornada pela vida destinam-se a quebrar os padrões fixos de comportamento, que se desenvolveram no correr de muitas vidas, e tornar a alma flexível e capaz de crescer outra vez.

Logo que a personalidade reconhece, consciente ou inconscientemente, esse fato, e, em lugar de continuar batalhando com insensatez, obedece, flexível, aos impulsos interiores do Eu Superior, a jornada através da vida se tornará, ao mesmo tempo, mais fácil e agradável.

Tomando *Oak*, não tardamos a ver reduzir-se a pressão interna, as energias fluírem com mais abundância e, de certo modo, mais livremente. O coração, a alma e a vitalidade recebem vida nova. Volta o elemento da alegria, e, com ele, o prazer da vida. Será então possível cumprir nossos compromissos sem despender nisso um esforço excessivo. Somos, na verdade, fortes como um carvalho, com as novas forças primordiais, que vêm constantemente da própria alma.

Oak revelou-se proveitoso na recuperação de uma moléstia prolongada, quando o paciente, embora persista, resoluto, com boa vontade, aos poucos se cansa dos tratamentos continuados, como a fisioterapia, os banhos, etc. *Oak* proporciona um novo *momentum* e força para perseverar.

Oak, às vezes, confunde-se com *Elm*. A diferença-chave entre eles é a seguinte:

Elm O trabalho é assumido como vocação. O estado de exaustão é temporário.
Oak O trabalho é visto, freqüentemente, como um dever, um compromisso. A exaustão pode ser crônica.

O oposto absoluto de *Oak* é *Gorse*, que desiste diante das dificuldades. *Oak* nunca desiste.

Sintomas-chave do tipo Oak

O lutador, exausto e obrigado a ajoelhar-se, mas, que, não obstante, continua a lutar corajosamente, e nunca desiste.

Sintomas devidos ao bloqueio da energia

- Cumpridor dos seus deveres, digno de confiança.
- Pé-de-boi.
- Tende a trabalhar em excesso e fica, então, deprimido e desanimado.

- Está completamente esfalfado e exausto, mas nunca se queixa.
- Resistência e paciência quase sobre-humanas.
- Infatigável e persistente em suas diligências, nunca desiste.
- Luta bravamente em condições de inferioridade, e nunca perde a esperança.
- Muitas vezes só continua a trabalhar por um sentimento do dever.
- Ajuda a carregar os fardos dos outros.
- Fica insatisfeito quando problemas de saúde o impedem de cumprir suas obrigações, ou lhe restringem a capacidade de ajudar.
- Não dá importância ao impulso natural para descansar.
- Forceja por impedir que o cansaço e a fraqueza se manifestem externamente.

Transformação potencial posterior
- Resistência. fidedignidade, perseverança, força, sensatez.
- Capaz de suportar muito bem grandes tensões.
- Supera todas as vicissitudes da vida com coragem e persistência.

Medidas de apoio
- As pessoas do tipo *Oak* devem ser estimuladas a não se mostrarem tão obstinadas em seu enfoque da vida, e, às vezes, a fazerem exatamente o que lhes dá na cabeça. Dê uma oportunidade a si mesmo, vagabundeie, dedique-se a passatempos bobos, etc.
- Exercícios para diminuir a rigidez na região do pescoço e dos ombros.

Afirmações positivas para praticar
"A alegria dá força."
"Eu o farei."
"A energia flui para mim, vinda da fonte primordial."

23. OLIVE
Olea europaea

A oliveira, árvore sempre verde nativa dos países mediterrâneos, floresce em diferentes meses da primavera, de acordo com o clima do país em que cresce. A inflorescência consiste em 20 ou 30 florzinhas brancas inconspícuas.

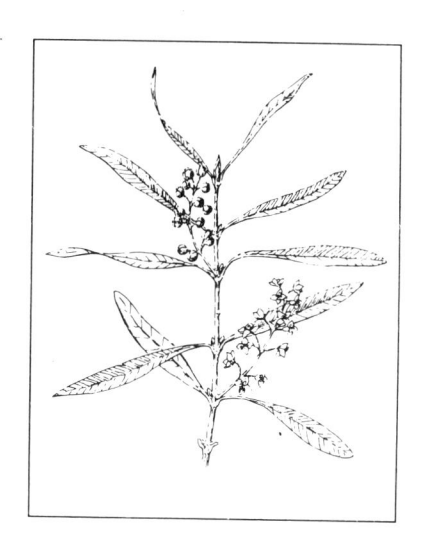

Princípio

A pomba trouxe a Noé um ramo de oliveira para indicar que o Dilúvio acabara, e que a paz e a tranqüilidade haviam retornado à terra. De maneira semelhante, o Remédio Floral *Olive* relaciona-se com o princípio da regeneração, da paz e do equilíbrio restaurado.

Esta é a "calma que se segue à tempestade", quando o corpo, a mente e o espírito estão totalmente exaustos e gastos depois de um longo período de grande tensão – depois de uma doença física, de um longo período de dieta desequilibrada, depois de uma falta severa de sono, depois dos cuidados dispensados a um membro da família, depois de anos de trabalho voluntário, feito após o horário do emprego de tempo integral, e depois de momentosos processos de desenvolvimento interior, que consomem inconscientemente grande quantidade de energia.

O estado negativo do tipo *Olive* representa sempre uma reação de "gota d'água". Você não quer ver mais nada, nem quer ouvir mais nada; quer apenas dormir, ou ter permissão para ficar ali sentado. O menor dos trabalhos, até o asseio diário, transforma-se num obstáculo intransponível. "Estou tão cansado, que seria capaz de chorar." "Estou completamente acabado." "Sinto-me enjoado, de tão cansado que estou." Essas frases são típicas do estado negativo de *Olive*.

As pessoas que se encontram com freqüência nesse estado terão de aprender a administrar convenientemente suas energias vitais. O seu erro consiste em se desgastarem completamente no nível da personalidade, onde as energias são limitadas, em lugar de extrair forças de fontes superiores. É durante períodos de tensão especial que o homem deve ir buscar a energia nas fontes mais altas. Existe energia disponível suficiente no universo, e poderemos consegui-la se a solicitarmos com o estado de espírito correto, sabendo que não podemos existir escorados apenas em nossos próprios recursos. Ao mesmo tempo, é importante reconhecer e acatar as leis e operações individuais do próprio corpo.

O estado de *Olive* é sempre um chamado à humildade, e, ao mesmo tempo, um desafio para aprender a lidar adequadamente com a nossa energia vital, que, afinal de contas, é a energia divina. As pessoas do tipo *Olive* acham difícil fazê-lo, pois o sistema de aviso físico usado pelo Eu Superior para dar sinal de que o estamos levando longe demais física, mental ou espiritualmente, já não funciona muito bem.

As pessoas no estado positivo de *Olive* acham possível enfrentar o maior estresse na plenitude das suas forças e até com alegria. Dão a impressão aos outros de que possuem recursos aparentemente inesgotáveis. Capazes de prestar atenção aos sinais antecipados de aviso, são flexíveis na sua adaptação às exigências de energia que delas se fazem. Entregam-se totalmente à orientação interior, sabedoras de que as energias necessárias lhes advirão do universo quando se apresentar o momento certo.

Na prática, é também essencial dar uma atenção especial ao estado físico da pessoa num estado negativo de *Olive*. Uma função física precária, muitas vezes, também serve para indicar que o fluxo de energia está perturbado em todo o sistema, assumindo a forma, por exemplo, de níveis anormais de oxigênio no sangue, funções renais reduzidas, flora intestinal tóxica, etc. Se já não tiver sido feito, recomenda-se, nesse caso, um exame médico minucioso da pessoa que se encontra no estado negativo de *Olive*. Inversamente, *Olive* sempre dá grande assistência no caso de surgirem condições físicas debilitantes, fortalecendo o corpo e a alma. Como o demonstra a experiência de alguns especialistas, *Olive* se tem revelado também utilíssima no combate ao alcoolismo.

Distinção entre *Olive* e *Hornbeam*:

Olive   Exaustão total do corpo, da mente e do espírito.
Hornbeam   O cansaço é mais mental. De manhã nos sentimos incapazes de dar conta do recado. No correr do dia, porém, verificamos que não nos estamos saindo tão mal.

Sintomas-chave do tipo Olive

Completamente exausto, fadiga física e mental extremas.

Sintomas devidos ao bloqueio da energia
- Exaustão que se segue a um longo período de tensão ou doença física.
- A pessoa sente-se completamente sem forças, acabada.
- Não lhe sobraram reservas.
- Tudo é esforço.
- Cansaço interior profundo depois de períodos de grande luta e transformação internas, que gastaram muitas energias psíquicas.
- Exaustão após longo período de dedicados cuidados de enfermagem.
- A pessoa precisa de muito sono.

Transformação potencial posterior
- Grande força e vitalidade.
- Durante os períodos de estresse, confia completamente na orientação interior, e, dessa maneira, é capaz de enfrentar até exigências extremas com jovialidade.

Medidas de apoio
- Reflita no tema da energia, do Prana, etc.
- Faça exercícios de ioga para reabastecer o sistema de energia.
- Durma o bastante.
- Relaxe-se ao ar livre.
- Coma alimentos ricos em energias etéricas: cereais, vegetais, frutas.

Afirmações positivas para praticar
"Peço força para fazer o que tenho de fazer."
"Sinto a energia cósmica fluir dentro de mim."
"Reconheço as necessidades do meu corpo."

24. PINE
Pinus sylvestris

Árvore esguia, que alcança altura superior a 30 metros, com uma casca castanho-avermelhado na parte inferior e laranja-acastanhado na parte superior. Cresce em florestas e charnecas, gosta de solo arenoso. As flores masculinas e femininas crescem na mesma árvore; as masculinas são densamente cobertas de um pólen amarelo.

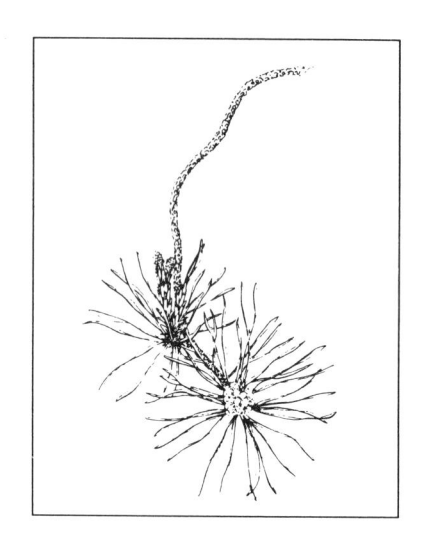

Princípio

Pine relaciona-se com as qualidades da alma ligadas à tristeza e ao perdão. Uma pessoa no estado negativo de *Pine* agarrar-se-á aos seus sentimentos de culpa.

O sentimento de culpa pode ser de origem recente, talvez porque nos esquecemos de fechar a janela e o papagaio fugiu. Ou pode ser arquetípico, retrocedendo por um longo caminho ao pecado original ou à culpa de Eva quando ofereceu a maçã a Adão. Juntamente com *Holly*, *Pine* talvez seja um dos estados da alma humana mais existenciais, e nem sempre se reconhece facilmente em outra pessoa.

O estado inconsciente do tipo *Pine* não raro se trai em frases com laivos de culpa inconsciente, tais como: "Nunca me perdoarei por haver sido tão descuidado"; "Perdoem-me se pego esta cadeira"; "Sei que é por minha culpa que o menino faz tanto barulho..."; "Bem, meus pais, na verdade, queriam uma menina, mas tiveram de contentar-se com um menino."

A culpa tempera muitas vezes todo o amor à vida de uma pessoa do tipo *Pine*, do que resulta que ela tende, fisicamente, a estar cansada e sem forças. A alegria de viver, praticamente, não desempenha papel algum na vida das pessoas do tipo *Pine*, que pertencem ao tipo que nunca está realmente satisfeito consigo mesmo, a despeito de muitas experiências positivas, e censura-se por não se ter esforçado mais. Uma pessoa no estado negativo de *Pine* exige mais de si que dos outros, e, se não puder viver de acordo com os altos padrões impostos a si mesma, recriminar-se-á desesperadamente em seu coração.

Outro traço característico do estado de *Pine* é a pessoa assumir a culpa pelos erros dos outros, sentindo que partilha da responsabilidade. Sentir-se-á culpada, por exemplo, se tiver de pedir ao vizinho desatencioso que diminua o volume do aparelho de som. As crianças do tipo *Pine* tendem a ser o bode expiatório da classe, e sofrerão, sem se queixar, os castigos por crimes que talvez nem tenham cometido. Quando as pessoas do tipo *Pine* ficam doentes, ou sobrecarregados de trabalho, pedem desculpas a todo o mundo. Se houver apenas quatro pães para cinco pessoas, o indivíduo do tipo *Pine* dará um passo atrás, pois se sentiria profundamente culpado se outra pessoa qualquer ficasse sem pão.

Parece que uma pessoa no estado negativo de *Pine* está sempre pedindo desculpas, até por existir, faltando-lhe talvez a convicção, no fundo do coração, de que merece estar na terra. Percebemos amiúde um nervosismo infantil, caracterizado inconscientemente por conceitos mentais dogmáticos, excessivamente morais, e por vigorosos preceitos: "Você precisa trabalhar." "Você não deve desejar fazer sexo." "Deus está vendo tudo e sabe que você falhou, há muito tempo, como ser humano." Nessas circunstâncias, em realidade, nada merecemos senão castigo e penitência, dolorosa e severa, olho por olho, dente por dente.

E quando não vem punição alguma de cima, nós mesmos nos punimos. Eis aí a razão por que muitas pessoas no estado negativo de *Pine* carregam nas costas, inconscientemente, uma cruz feita por elas mesmas. Às vezes, dizem também que estão assumindo o carma de outros. Algumas pessoas do tipo *Pine* têm um desejo quase masoquista de sacrificar-se, e podem castigar-se para o resto da vida escolhendo um parceiro desatencioso, sem perceber a razão interior disso. Oferecem amor, ou o que tomam por amor, mas não são capazes de aceitar amor para si mesmas. Erro trágico, capaz de destruir a vida da personalidade em diversos sentidos:

Se a personalidade afastar de si o amor, a corrente de vida, as energias divinas não fluirão através dela. Por conseguinte, ela não só cortará o próprio nervo vital, mas também cometerá um pecado contra a unidade, contra a totalidade da criação. Os seus programas de culpa autodestrutivos irritam e prejudicam toda a gente ao redor.

A razão dessa atitude reside, mais uma vez, no haver a personalidade tomado o caminho errado, limitando-se a viver de acordo com o próprio conceito do bem e do mal, reivindicando o direito de julgar por si mesma, em vez de aceitar o que aprende sob a orientação do Eu Superior.

Uma pessoa no estado negativo de *Pine* precisa compreender o que significa ser, no sentido mais profundo, um ser humano, e que o simples fato de vivermos e respirarmos nesta terra faz de qualquer dúvida tocante ao nosso direito de existir rematado absurdo. Precisamos aceitar que, conquanto o homem tenha uma alma perfeita, é, no corpo físico, uma criatura imperfeita, e nenhum progresso se fará no corpo sem dificuldade e tropeços. São os próprios conflitos sobre os nossos erros que nos proporcionam as energias necessárias à continuação do desenvolvimento. Precisamos, portanto, cometer erros, e continuaremos a cometê-los durante o tempo todo, pois eles nos aproximarão, por fim, cada vez mais, da nossa própria alma, e, portanto, de Deus.

Nesse caso, por que nos acusarmos? Quem quer que se mantenha preso aos seus erros, incapaz de amar-se e perdoar-se a si mesmo, também será incapaz de amar e perdoar os outros. De que serviria, então, um relacionamento humano?

Pine pode ajudar-nos a apreender o verdadeiro conteúdo do conceito cristão da salvação. Podemos aceitar que uma pessoa não carregue a culpa consigo, pois essa culpa lhe foi perdoada antes mesmo que ela viesse ao mundo, pelo sacrifício simbólico da cruz. A única coisa de que ela precisa é reconhecer esse fato.

No estado positivo de *Pine*, damos tento de que a era do Deus vingativo, visto por Moisés, e dos seus rigorosos mandamentos, já passou, e já não há necessidade de punição, pois cada um de nós chega mais perto da salvação na medida em que é capaz de sentir um pesar autêntico e puro.

As pessoas capazes de transformar um severo estado negativo de *Pine* recebem grande quantidade de energia. Ajudam outras com problemas semelhantes, ouvindo-as com paciência, e, na verdade, por obra exclusiva da sua radiação energética, simplesmente estando presentes.

Na prática, *Pine* é acompanhado com freqüência de *Willow* ou de *Holly*. A distinção entre a sensação do tipo *Crab Apple* de estar sujo e a sensação de culpa do tipo *Pine* é a seguinte:

Pine   Aferra-se aos sentimentos de culpa como se estes fizessem parte dele.
Crab Apple Sente-se imundo, sujo, mas não aceita a responsabilidade por essa condição. Gostaria de livrar-se dela o mais depressa possível.

Sintomas-chave do tipo Pine
Autocensura, sentimentos de culpa, abatimento.

Sintomas devidos ao bloqueio da energia
- Muitas vezes emprega frases de feitio excusatório na conversação.
- Sente-se freqüentemente culpado, tende a recriminar-se.
- Introvertido, tem pouca alegria na vida.
- Sente-se em parte responsável pelos erros alheios.
- Estabelece os padrões mais elevados para si mesmo – mais do que para os outros – e sente-se culpado, no fundo, por não poder viver de acordo com eles.
- Ainda que bem-sucedido, sente que poderia ter feito isso ou aquilo melhor ainda.
- Olha mais para os seus limites do que para os seus potenciais; autodestrutivamente, solapa-se a si mesmo com uma auto-imagem negativa.
- Sente-se indigno, inferior, um pobre-diabo à espera de pancadas.
- Desculpa-se por estar doente, deprimido ou exausto.
- No íntimo, considera-se um covarde.
- Acha difícil aceitar qualquer coisa, sentindo, inconscientemente, que não merece coisa alguma.
- Sente-se culpado quando surge a necessidade de falar aos outros com firmeza.
- Sente que não merece o amor, recusando-se o direito de existir: "Perdoe-me por haver nascido."
- Às vezes masoquista, almeja o sacrifício.
- Subestima-se extremamente. Narcisismo negativo.
- Tem conceitos inconscientes do bem e do mal, eivados de um sabor fortemente religioso, vê a sexualidade como um pecado, abriga noções do pecado original, etc.

Transformação potencial posterior
- Admite as próprias faltas, aceitando-as, mas não se agarra a elas.
- Mais do que culpa, sente um pesar genuíno; capaz de perdoar-se e esquecer.

- Tem profunda compreensão da natureza humana, particularmente dos sentimentos humanos
- Partilha dos fardos alheios, mas somente se forem significativos.
- Dotado de grande paciência, humildade, simplicidade de coração.
- Tem o entendimento verdadeiro do conceito cristão da salvação.

Medidas de apoio
- Conceda o reconhecimento a si mesmo, sabendo que todo ser humano merece amor e que "o seu pecado já foi perdoado".
- Faça exercícios de ioga para reforçar o fluxo de energia entre os chacras do "terceiro olho", da tireóide e do coração.
- Verifique onde você está exigindo demais de si mesmo, estabelecendo metas inatingíveis. Abra mão dessas metas, formule novas.
- Faça exercícios de aptidão pela manhã, a fim de construir uma reserva de vitalidade para o dia.

Afirmações positivas para praticar

"Amo-me a mim mesmo exatamente como sou."
"Eu me perdoo, pois fui perdoado há muito tempo."
"Nasci e já fui redimido."
"Cada erro é um degrau que nos aproxima de Deus."

25. RED CHESTNUT
Aesculus carnea

Mais delicado e menos robusto que o *White Horse Chestnut*. As flores, de coloração cor-de-rosa forte, aparecem em grandes inflorescências piramidais no fim de maio ou no início de junho.

Princípio

Red Chestnut relaciona-se com os potenciais da alma ligados à solicitude e ao amor do próximo. Característica típica do estado de *Red Chestnut* é o poderoso vínculo de energia entre dois indivíduos.

As pessoas que necessitam freqüentemente de *Red Chestnut* acham fácil sintonizar outras pessoas e situações, e são capazes de projetar-se vigorosamente. Do ponto de vista da energia, são grandes transmissores. As pessoas pelas quais se preocupam, parentes, filhos, amigos, sabem-no muito bem.

Os caracteres do tipo *Red Chestnut* são, aparentemente, altruístas nos cuidados que dispensam aos outros, sempre imaginando o pior que pode acontecer. São os pais que não conseguem dormir à noite enquanto as filhas adolescentes não tiverem voltado, sãs e salvas, de uma sessão de cinema. São as mães que não se sentem em paz enquanto os filhos adultos não telefonarem, tarde da noite, para relatar que chegaram, com toda a segurança, ao seu destino de férias. São as avós cujo coração lhes pára na boca quando pensam que o neto tem de atravessar sozinho uma rua de muito trânsito.

Os personagens do tipo *Red Chestnut* sofrem pelos entes amados, e cuidam que ninguém dá tento disso. Esquecem-se de que estão fazendo mal não somente a si mesmos, mas também ao objeto dos seus cuidados. Existe, com efeito, o risco de atrair as coisas, que eles temem para os outros, com as suas energias. Bach contou que as preocupações dos amigos se fizeram sentir nele como uma dor física aguda, quando se viu envolvido num acidente.

O estado do tipo *Red Chestnut* poderia também descrever-se como um relacionamento simbiótico similar ao que existe entre a mãe e o bebê. O bebê depende inteiramente da mãe para sobreviver. A mãe também vive emocionalmente através do filho. Em muitos casos, entretanto, esse vínculo estreito tende a persistir por um tempo demasiado longo, com o cordão não cortado, ou malcortado.

A desvantagem particular para ambas as partes é que o desenvolvimento delas será retardado, visto que o estado simbiótico precisa manter-se em equilíbrio para poder funcionar. Quando um dos parceiros tenta cortar o cordão, o outro se verá automaticamente envolvido.

Um histórico de caso da mãe divorciada e do filho depressivo de 16 anos de idade mostra que, no decurso do tratamento, a mãe compreendera que estava usando o filho para satisfazer às próprias necessidades emocionais. Tendo dado tento disso inconscientemente, o filho se afastara cada vez mais dela e da realidade, para o seu próprio mundo de fantasia.

Ela tomou *Red Chestnut*. Alguns dias depois, o filho ficou extremamente deprimido. Depois da crise, entretanto, preparou-se, pela primeira vez na vida, para submeter-se ao tratamento, coisa que sempre se recusara a fazer. *Red Chestnut* permitira à mãe afrouxar o vínculo existente entre eles, e, nesse momento, o filho também percebeu, pela primeira vez, que era capaz de ponderar sobre suas próprias necessidades.

Elos simbióticos semelhantes também são comuns entre marido e mulher, sobretudo quando estão envolvidas poderosas projeções dos pais, a saber, a esposa projeta no marido os problemas do próprio pai. Um elo simbiótico não reconhecido também pode existir entre um filho e um dos pais já falecido.

Falando fundamentalmente, o estado de *Red Chestnut* não é mais que uma "conexão no nível errado", nível subjetivo, emocional, oprimido por ansiedades da personalidade, mais que num nível espiritual, entre os Eus Superiores das duas pessoas. No estado negativo de *Red Chestnut*, o conceito de amor ao próximo é egoisticamente mal-interpretado. A outra pessoa se transforma, inconscientemente, no objeto sobre o qual são projetados nossos pensamentos e dúvidas limitativas.

Aqui será preciso entender que as coisas "sempre se resolvem de maneira diferente da que imaginávamos", e que é impossível, por maiores esforços que se façam, impedir que outros sigam a sina que lhes foi destinada.

"Os melhores planos elaborados... Espero que ele se dê bem. Esperemos o melhor para eles. Eles encontrarão o modo certo."

Quem quer que pense dessa maneira experimentará o lado positivo da energia de *Red Chestnut*, e terá o prazer de ver que as coisas vão cada vez melhor para ele e para a outra pessoa.

Bom número de especialistas relatou que *Red Chestnut* é usado com freqüência por pessoas que precisam identificar-se vigorosamente com outras por motivos profissionais, como, por exemplo, enfermeiras ou conselheiros educativos.

Red Chestnut também se mostrou proveitoso durante o desmame. Pode ser combinado com *White Chestnut* quando preocupações que dizem respeito à outra pessoa não cessam de voltar e nenhum esforço que se faça as fará desaparecer.

Em regra geral, o estado do tipo *Red Chestnut* é passageiro. Haverá poucos tipos completamente *Red Chestnut*.

Comparação entre *Red Chestnut* e *Chicory* no tocante aos cuidados extremos dispensados a outros:

Red Chestnut Desinteressados na sua solicitude, preocupam-se com os perigos que podem ameaçar os entes queridos.
Chicory Egoístas e possessivos em sua preocupação com os entes queridos.

Sintomas-chave do tipo Red Chestnut
Excessiva solicitude e preocupação pelos outros.

Sintomas devidos ao bloqueio da energia
- Tem grande apego às pessoas, sobretudo às queridas.
- Preocupa-se em excesso pela segurança dos outros (filhos, cônjuges), sem medo algum em relação à própria pessoa.
- Preocupa-se com os problemas alheios.
- Superprotetor, superdesvelado.
- Sacrifica-se a si próprio.
- Pensa que alguma coisa pode ter sucedido à outra pessoa se ela estiver atrasada.
- Receia que um sintoma insignificante possa ser sinal de moléstia grave em outra pessoa.
- Compreendendo que se tratou de um caso de "salvo por um

triz", imagina todas as coisas terríveis que poderiam ter acontecido à outra pessoa.
- Pais que admoestam constantemente os filhos para que tomem cuidado.

Transformação potencial posterior
- Capaz de irradiar sentimentos positivos de segurança, bem-estar e coragem a outros que se encontram em situações difíceis.
- Capaz de proporcionar influência e orientação positivas a outros, a distância.
- Mantém a cabeça fria nas emergências; capaz de enfrentá-las mental e fisicamente.

Medidas de apoio
- Reflita sobre "o poder do pensamento", sobre a cura espiritual; faça exercícios para exercitar a percepção, etc.
- Exercite-se para trazer à mente o lado positivo da moeda quando surgirem os pensamentos negativos. Assim sendo, não imagine o pior que pode acontecer (acidente de automóvel), mas visualize o final desejável (regresso a salvo).
- Imagine a pessoa pela qual se interessa circundada de uma luz branca.

Afirmações positivas para praticar
"Ele ou ela estão nas mãos de Deus."
"Irradio paz, calma e otimismo."
"Tudo está tomando um jeito positivo."
"Sou uma personalidade única."

26. ROCK ROSE
Helianthemum nummularium

Subarbusto que se ramifica livremente e cresce em elevações gredosas e solos calcáreos e cascalhentos. As flores amarelas radiantes desabrocham de junho a setembro, de ordinário apenas uma ou duas ao mesmo tempo.

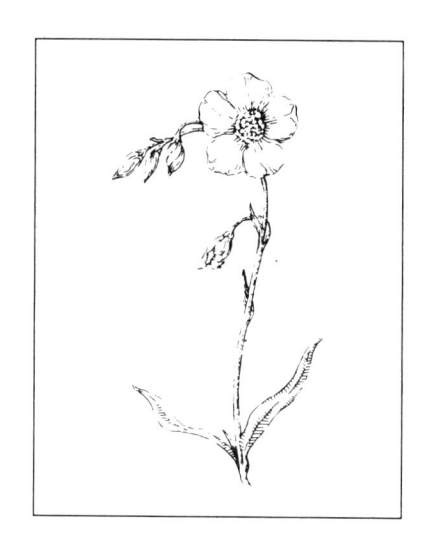

Princípio

Rock Rose relaciona-se com as qualidades da alma ligadas à coragem e à firmeza. É um dos componentes mais importantes do Remédio *Rescue*.

Uma personalidade no estado negativo de *Rock Rose* vive debaixo de uma ameaça crítica, mental e, não raro, física também. São momentos de crise, situações excepcionais, como acidentes, moléstia repentina, desastres naturais, quando o ser humano é impotente para enfrentar a investida das energias elementais. Tudo acontece depressa demais, e segue a direção errada. Mundos separam a personalidade do Eu Superior quando ela, tímida, se encolhe dentro dos seus limites mortais, em vez de confiar na orientação da alma, que poderia deixar fluir para ela as energias necessárias ao domínio da situação.

Um refugiado escapa pela fronteira. O terreno foi minado. Holofotes vasculham a área em intervalos regulares. De inopino, o latir dos cães chega-lhe de trás. Terá sido localizado? Salta-lhe o coração para a boca. Tomado de pânico total, e sentindo-se completamente acuado, deita a correr para salvar a vida. . .

Este é um exemplo extremo do estado do tipo *Rock Rose*. Todos os estados do tipo *Rock Rose* são dramáticos por dentro, ainda que as circunstâncias externas não sejam tão ameaçadoras assim. Em todo o caso, a personalidade se encontra num estado agudo de emergência. No nível físico, há situações em que ligamos para o serviço médico de emergência. A "vítima" estará, amiúde, fora de si por obra do pânico, e sua visão, sua audição e sua fala estarão abaixo do normal. Uma doença repentina, possivelmente letal, na família, quando se teme o pior, exige *Rock Rose* – tanto para a família quanto para o paciente.

Às crianças que acordam gritando por causa de um pesadelo devem ministrar-se golezinhos de *Rock Rose* até que se acalmem outra vez. Alguém que tenha escapado de um desastre de automóvel por um fio, e ainda sente o medo nos ossos, conhece o estado negativo de *Rock Rose*.

Descreveu-se muito bem o estado como "um murro no estômago", pois a função do plexo solar foi sobrecarregada. Muita coisa está entrando muito depressa, e o sistema nervoso central não consegue dar conta do recado. Dizem os sensitivos que o chacra do plexo solar "fica paralisado numa posição inteiramente aberta", algumas pessoas sentem o plexo solar como um "buraco dolorido", ou "uma pedra na boca do estômago".

A pessoa no estado de *Rock Rose* julga-se desamparada, em poder dos elementos. Sua sangue de medo. A emanação do medo impregna-lhe toda a aura, e muitos sensitivos deram disso descrições vívidas.

A energia de *Rock Rose* liberta a personalidade do medo congelado, deixando o pêndulo oscilar do estado negativo para o positivo.* O medo centrado em si mesmo converte-se em coragem, até em coragem heróica, que leva a pessoa a esquecer-se de si por amor dos outros nos casos extremos.

É a coragem que fará a mãe deter um automóvel com as mãos, quando este ameaça passar por cima do filho, que está brincando, muito feliz da vida. É o heroísmo que fará guerrilheiros arrostar um exército inimigo e vencer. *Rock Rose* mobiliza forças tremendas, que permitem aos homens crescer além de si mesmos.

Por sua própria natureza, o estado de *Rock Rose* só ocorre temporariamente. É indicado, com muita freqüência, para crianças, ainda menos estáveis em sua psique. Mas há também tipos autênticos de *Rock Rose* entre os adultos, embora nem sempre pareçam tão nervosos exteriormente. Não raro de constituição nervosa muito delicada, nascem, às vezes, com as supra-renais subdesenvolvidas. Utilizam os poderes defensivos da mente num ritmo acima da média, razão pela qual seus recursos de energia nervosa se exaurem com facilidade.

Os estados de *Rock Rose* podem manifestar-se quando a pessoa está sendo submetida a disciplinas espirituais, e, de repente, se vê confrontada por uma enorme escuridão arquetípica.

---

* Note-se que as flores de *Rock Rose* comum são de um amarelo brilhante especial. O amarelo é a cor capaz de armazenar a maior quantidade de calor do sol nas flores.

Às vezes, recomenda-se *Rock Rose* como medicação adicional no tratamento convencional da insolação. E ele já se revelou, muitas vezes, proveitoso para pessoas viciadas em drogas.

Sintomas-chave do tipo Rock Rose
Estado acutíssimo de medo, terror e pânico.

Sintomas devidos ao bloqueio da energia
- A súbitas, ansiedades que aumentam progressivamente em situações físicas ou mentais de emergência.
- Terror, horror, medo puro e simples.
- Fica inteiriçado de medo, terror, e tomado de pânico.
- Como se o medo o tivesse deixado fora de si – não ouve, não vê, não fala.
- O coração quase pára de bater de tanto medo.
- As energias nervosas são precárias.
- O medo ainda se faz sentir nos ossos, depois que a pessoa escapa por um triz de um acidente qualquer.
- Pânico oriundo de pesadelos (especialmente crianças).
- Amiúde necessário às pessoas dadas às drogas.

Transformação potencial posterior
- Heroísmo.
- Capaz de crescer além de si mesmo em emergências e situações críticas, e mobilizar forças quase sobre-humanas.
- Faz coisas em benefício de outros, sem atentar para os possíveis riscos que corre a sua própria pessoa.

Medidas de apoio
Em regra geral não são possíveis no estado agudo.
- As pessoas que precisam com freqüência do *Rock Rose* devem aprender a proteger o plexo solar mentalmente, ou seja, visualizando um "escudo de luz" que o cobre por inteiro.
- Recorra à terapia respiratória.
- Faça orações, mantras.

Afirmações positivas para praticar
"Sou mais que o meu corpo."
"Estou nas mãos de Deus."
"Forças não-sonhadas fluem para mim."

27. ROCK WATER

Aqui não se trata de uma planta, senão de água proveniente de fontes naturais, localizadas em áreas não tocadas pela civilização e conhecidas pelo seu poder de curar os doentes. Essas nascentes semi-esquecidas, expostas apenas ao livre intercâmbio do sol e do vento, enquanto borbulham entre árvores e relvas, ainda podem ser encontradas em muitas partes da Inglaterra.

Princípio

Rock Water relaciona-se com as qualidades da alma ligadas à adaptabilidade e à liberdade interior. A pessoa no estado negativo do tipo *Rock Water* vê-se enredada em máximas e idéias teóricas rígidas, divorciadas da realidade.

Depois de erguerem um "monumento de pedra" de elevados ideais espirituais, diretrizes morais, e conceitos perfeccionistas de saúde, tais pessoas se sentem insignificantes diante dessa imagem monumental.

A pessoa no estado negativo de *Rock Water* negará a si mesma muitas coisas que tornam a vida de cada dia agradável e divertida, na crença de que elas não se coadunam com a sua visão rígida e, muita vez, positivamente ascética, da vida. Sendo abstêmio, numa festa de casamento será o único a não erguer a taça de champanha a fim de brindar o casal feliz, sorrindo modestamente enquanto pede um copo de água mineral.

As pessoas do tipo *Rock Water* querem sempre estar na melhor forma, tanto mental quanto física, e seguirão com entusiasmo todo o curso que puder levá-los a esse resultado. O homem que aparece na piscina às 7 horas da manhã, depois de haver feito *cooper* pelas matas, que dá, obstinado, cinqüenta voltas na piscina, e, depois disso, se senta, circunspecto, diante de um desjejum especialmente preparado – representa o tipo clássico de *Rock Water*.

A pessoa no estado extremo de *Rock Water* também quer ser um exemplo para os demais; espera tranqüilamente induzir os outros a adotarem suas idéias, de modo que estes também encontrem "o caminho certo". Membros ocidentais de seitas religiosas orientais, caminhando pelas ruas da cidade com trajos étnicos e silenciosa dignidade, encarnam esse aspecto do estado de *Rock Water*.

Muitas pessoas do tipo *Rock Water* querem ser santos enquanto ainda estão na terra. Estabelecerão para si mesmos padrões de princípios elevados, sobretudo os que são, de certo modo, tangíveis e podem ser eliminados. Passarão, por exemplo, horas do dia praticando exercícios de ioga, aderirão rigorosamente a princípios macrobióticos, ou farão orações rituais específicas onde quer que estejam.

Suas teorias e idéias extremamente ambiciosas caracterizam-se amiúde por derivar de tradições antigas, que realizaram grandes coisas em seu tempo e em seu lugar, mas que, já não sendo compatíveis com o século XX, são, portanto, difíceis de pôr por obra. As pessoas no estado negativo de *Rock Water*, no entanto, não se dão conta disso e torturam-se com censuras dirigidas a si mesmos quando as exigências da monótona vida cotidiana lhes tornam impossível cumprir a sua quota diária de treinamento. Isto, naturalmente, lhes prejudicará mais o desenvolvimento do que horas de respiração, oração, meditação, etc., seriam capazes de contrabalançar.

Uma pessoa no estado do tipo *Rock Water* não é um bom parceiro em discussões. Quer se trate de política, de poluição ambiental, ou de um tema mais filosófico, a pessoa se aferra a uma visão "muito obstinada" do que cuidou ser o certo para si mesmo. O que não se ajusta ao seu próprio projeto é simplesmente passado por alto.

Entretanto, à diferença do tipo *Vine*, essa pessoa não tentará impor sua própria filosofia à outra pessoa, pois não tem mãos a medir tentando satisfazer aos padrões exagerados que ela mesma se impôs. Existe mais que uma tendência no estado negativo de *Rock Water* para a presunção, uma forma sublime de orgulho espiritual, a hipocrisia.

Uma pessoa no estado de *Rock Water* não entende a coerção interior constantemente aplicada, e o fato de estar constantemente suprimindo necessidades humanas importantes. Não põe reparo na extensão em que emprega diariamente a força sobre si mesma, nem o grau em que o prazer da vida é sufocado por disciplinas auto-impostas. Essas exigências, constantes e exageradas, para consigo mesma, se expressarão, mais cedo ou mais tarde, em muitas formas diferentes de inflexibilidade no nível físico.

Uma pessoa no estado negativo de *Rock Water* identifica-se mentalmente com princípios suprapessoais. Altamente cristalizada, a personalidade se congela em certas decisões, deixando de lado as exigências da realidade. Quer ser o que julga que é bom, e, de maneira alguma, o que identificou como não bom. É possível, todavia, que ela acredite não serem boas algumas coisas ainda necessárias ao seu desenvolvimento. E é possível que as que considera boas não estejam ainda programadas para o atual ciclo de vida.

Reside o erro numa voluntariedade excessiva e num enfoque material errado. A personalidade deseja forçar o desenvolvimento espiritual, egoisticamente, confundindo o efeito externo com a causa interna. Não percebe que o efeito externo, como seria, por exemplo, uma mudança no estilo de vida, surgirá por si, depois que se oferecerem as condições interiores para isso. Esqueceu-se que certas formas de vida são a conseqüência, e não a causa, do crescimento espiritual.

Ao querer pôr em execução mudanças externas que contrariam o propósito íntimo da alma, a personalidade luta com o Eu Superior, em vez de deixar-se guiar por ele. Mais do que tudo, deixa de compreender que não conseguirá o "domínio de si mesma" tentando concentrar-se em si, senão, pelo contrário, esquecendo-se no serviço de outros.

As pessoas no estado negativo de *Rock Water* precisam ser estimuladas a encarar a sua verdadeira personalidade frente a frente, cientes de que "ninguém é perfeito", e renunciar a teorias arrogantes, entregando-se, ao invés disso, às ondas da vida real, que alisam as arestas ásperas de todas as rochas.

Os que necessitam de *Rock Water* devem lançar de si suas férreas restrições e não mais negar a si mesmos os prazeres da vida. Interessante é a observação de um sensitivo que, tendo tomado *Rock Water*, sentiu-se "suavemente acariciado por todo o corpo", experimentando um "renascimento na realidade", segundo sua própria expressão.

As pessoas no estado positivo de *Rock Water* podem ser descritas como idealistas adaptáveis, capazes de pôr de lado seus princípios e convicções muito enaltecidos, quando confrontadas com novas percepções intuitivas e verdades maiores. Mantêm a mente aberta. Usam disciplina no monitoramento constante de seus ideais, em sua situação de vida real. Dessa maneira, serão capazes, no desenrolar do tempo, de levar verdadeiramente a cabo muitos dos seus ideais, o que fará delas, por si só, um exemplo para outros.

Os casos extremos de *Rock Water* do tipo acima descrito não são muito comuns. Não obstante, *Rock Water* é indicado com freqüência, pois todos temos áreas da personalidade em que as necessidades, consciente ou inconscientemente, são suprimidas.

Sintomas-chave do tipo Rock Water
Para os que são duros consigo mesmos, têm opiniões rigorosas e rígidas, necessidades internas suprimidas.

Sintomas devidos ao bloqueio da energia
- Grande perfeccionista.
- Submete a vida a teorias dogmáticas e, às vezes, a ideais exagerados.
- Nega-se a si mesmo muita coisa, na crença de que não é compatível com o seu conceito de vida; perde muito do prazer da vida.
- Duro consigo mesmo; faz quanto lhe é possível para atingir a melhor forma e permanecer nela; autodisciplina.
- Estabeleceu os padrões mais elevados para si mesmo e obriga-se, quase a ponto de chegar ao abandono de si próprio, a viver de acordo com eles.
- Não se dá conta das compulsões sob as quais vive.
- Tem um conceito errado de espiritualidade: agarra-se a determinado aspecto acessível (técnica de meditação, dieta especial, etc.) e faz dele uma vaca sagrada.
- Acredita que os desejos mundanos inibem o desenvolvimento espiritual, deseja ser santo enquanto está na terra.
- Suprime necessidades físicas e emocionais importantes, nega-se a si próprio.
- Cai na própria armadilha quando medita, porque "quer" em demasia.
- Não interfere na vida dos outros, pois está inteiramente preocupado com a perfeição pessoal.
- Recrimina-se quando se vê incapaz de manter a disciplina imposta a si mesmo.
- Suas necessidades físicas não estão bem integradas; mulheres freqüentemente dismenorréicas.
- Muita tensão no corpo físico – especialmente nos músculos e juntas.

Transformação potencial posterior
- Idealista de mente aberta; capaz de abrir mão de teorias e princí-

pios se se vir confrontado com novas introspecções e verdades mais profundas.
- Não se permite ser influenciado por outros, sabendo que as introspecções certas deverão ser encontradas dentro de si mesmo, no momento certo.
- Capaz de trazer à fruição grandes ideais.
- A alegria na vida e a paz interior fazem dele um exemplo natural para os outros.

Medidas de apoio
- Não se agarre, em nenhum sentido.
- Permita a si mesmo gozar de mais prazeres e divertimentos mundanos.
- Pratique o exercício de tornar mais clara a distinção entre a teoria e a prática; não subscreva irrestritamente as teorias dos outros, mas julgue por si o que é bom e o que não é.
- Faça exercícios físicos sem impor regras rígidas.

Afirmações positivas para praticar
"Estou aberto a novas percepções intuitivas e experiências."
"Dou a todos os aspectos de minha vida o que lhes é devido."
"Deixo as coisas crescerem."

28. SCLERANTHUS
Scleranthus annuus

Planta anual baixa, compacta ou rastejante, que alcança uma altura de 5 a 70 cm, com numerosos caules emaranhados, e cresce em campos de trigo, solos arenosos e cascalhentos. As flores aparecem em cachos, de um verde que vai do pálido ao escuro, entre os meses de julho e setembro.

Princípio

Scleranthus relaciona-se com os potenciais da alma ligados ao aprumo e ao equilíbrio. Uma pessoa no estado negativo do tipo *Scleranthus* vacila entre dois extremos.

Quem quer que tenha observado um gafanhoto responder ao menor movimento na vizinhança, dando saltos enormes para cá e para lá, com aparente desorientação, pode imaginar como se sente por dentro quem está no estado negativo de *Scleranthus*. Todo impulso externo será suficiente para provocar uma reação, primeiro de um jeito, depois de outro.

Os novos vizinhos são encantadores, você logo se entende maravilhosamente com eles, mas, no dia seguinte, acabam dando nos seus nervos de tal maneira que você, de fato, sente vontade de bater a porta na cara deles.

Na noite anterior, você concordou em juntar-se aos amigos na aquisição de uma casa de campo. Quando desperta na manhã seguinte, começa a pensar no que deu em você e procura desvencilhar-se do compromisso pelo telefone. No curso, porém, da conversação telefônica, deixa-se persuadir de novo e promete reconsiderar o assunto. Haverá novas idas e vindas, até que os amigos encontram, finalmente, alguém mais capaz de tomar uma decisão.

Uma pessoa no estado negativo de *Scleranthus* é como uma balança em constante movimento, oscilando de um extremo a outro – no sétimo céu ou miserável como o inferno, extremamente ativo ou completamente apático; num dia entusiasmado por uma idéia nova, no dia seguinte completamente desinteressado. Essa mudança contínua de estados de espírito e opiniões faz as pessoas do tipo *Scleranthus* parecerem instáveis e indignos de confiança ao olhos dos outros.

A moça incapaz de decidir-se entre dois homens é um caso clássico de *Scleranthus*. Quando está com o tranqüilo funcionário público, é evidente para ela que será muito bem cuidada, mais tarde, por ele. Mas quando sai com o engenheiro aventuroso, que deseja levá-la para um país estrangeiro, põe-se a imaginar por que, realmente, ainda não saiu de casa. Quando está sozinha e tenta pensar no que de fato deseja, nunca chega a uma decisão, mas continua oscilando ineficazmente de um lado para outro entre duas possibilidades, durante semanas, e até meses. Nem sequer partilha das suas dúvidas com os pais nem com os amigos, pois, à diferença do tipo *Cerato*, o tipo *Scleranthus* tentará sempre encontrar a própria solução, por mais tempo que isso demore.

Em seu *Handbook of the Bach Flower Remedies*,* o Dr. Philip Chancellor descreve o caso de um homem que levou três meses para decidir-se a buscar um tratamento.

A natureza vacilante das pessoas do tipo *Scleranthus* também tende a encontrar expressão exterior em muitos gestos nervosos, perturbados. Faz-se grande número de movimentos supérfluos. Muitas mulheres necessitadas de *Scleranthus* mudam de roupa várias vezes por dia, reagindo aos seus estados de espírito flutuantes. Uma criança do tipo *Scleranthus* não pára quieta.

Os pacientes do tipo de *Scleranthus* são irritantes para os médicos, porque os seus sintomas se movimentam por todo o corpo. "E onde está doendo hoje?" perguntará o terapeuta, imaginando se valerá a pena levar a sério os novos sintomas.

A falta de equilíbrio no estado de *Scleranthus* encontra expressão, às vezes, em desequilíbrios físicos, como, por exemplo, enjôos em viagem ou incômodos do ouvido interno. Os estados de espírito variáveis também se refletem na variação entre extremos físicos, como, por exemplo, prisão de ventre e diarréia, temperatura acima do normal e temperatura subnormal, uma fome insaciável e falta de apetite. Essa é também a razão por que se indica *Scleranthus*, freqüentemente, durante a gravidez.

Alguns especialistas são da opinião de que pode manifestar-se uma disposição para o estado negativo de *Scleranthus* durante as duas ou

---

* Publicado com o título de *Manual Ilustrado dos Remédios Florais do Dr. Bach*, Ed. Pensamento, São Paulo, 1990.

três primeiras horas de vida, quando o ambiente é caótico e muitas impressões chegam ao mesmo tempo. A personalidade é como uma lente desfocada que já não consegue focalizar a luz, ou seja, outros pensamentos e impulsos, reuni-los num ponto focal e condensá-los numa decisão premeditada e sem ambigüidades. Sua energia serpenteia sem rumo definido e, às vezes, estranhamente, por entre as diferentes facetas da consciência.

No estado de *Scleranthus* o erro reside na personalidade, que se recusa a dar assentimento claro ao papel de condutor do Eu Superior. Em resultado disso, não tem nenhuma diretriz interior acerca das metas da alma, uma linha que lhe daria força, padrões e direção. Pois enquanto não tiver tomado uma decisão clara no que diz respeito ao caminho da alma, cairá sob a influência de muitas forças diferentes, tornando-se um joguete nas mãos de dualidades terrenas, atraída ora para um pólo, ora para outro. Desbarata, portanto, tempo e recursos valiosos, só mantendo a cabeça fora d'água no que diz respeito ao seu desenvolvimento.

Uma pessoa no estado negativo de *Scleranthus* tem de fazer todo o possível para alcançar o próprio centro, na mente e também no corpo, e encontrar seu verdadeiro ritmo interno. O primeiro passo seria não mais entrar tão profundamente nos extremos de suas experiências positivas e negativas, mas tentar estabelecer um áureo meio-termo. A atitude devia ser a de uma pessoa que anda na corda bamba e, primeiro que tudo, se harmoniza sensivelmente com o ritmo dos próprios movimentos e depois – com os pés firmados na corda e os olhos num ponto à sua frente – movimenta-se com leveza na direção da meta.

Essa leveza, resultado de grande força interior, não raro, é típica de pessoas que se encontram no estado positivo de *Scleranthus*. Tomam decisões com confiança intuitiva, exatamente no momento certo. E assim como o homem que anda na corda bamba está sempre aprimorando um pouco mais seu desempenho, assim as pessoas no estado positivo de *Scleranthus* têm a capacidade mental de incorporar cada vez mais novos potenciais em sua vida, sem perder o equilíbrio. O poder de decisão e a falta de ambigüidade interiores exercem um efeito positivo, calmante, sobre as pessoas nervosas em seu ambiente.

Sintomas-chave do tipo Scleranthus

Indeciso; excêntrico; carente de equilíbrio interno. As opiniões e estados de espírito modificam-se de um momento para outro.

Sintomas devidos ao bloqueio da energia
- É indeciso, por causa da agitação interior.
- Seus pensamentos vacilam constantemente entre dois caminhos possíveis.
- Extrema flutuação do estado de espírito: chora e ri, sente-se no sétimo céu ou nas profundas do inferno.
- Mente de gafanhoto.
- Parece indigno de confiança, por causa de opiniões variáveis.
- Falta de equilíbrio exterior e interior, colapsos nervosos.
- Não se concentra, salta de um assunto para outro durante a conversação.
- A falta interna de decisão custa um tempo valioso, e muitas boas oportunidades se perdem, assim particular como profissionalmente.
- Não pede conselhos aos outros quando se acha às voltas com um conflito interior, e tenta chegar sozinho à decisão.
- Faz, com freqüência, gestos desencontrados, espasmódicos.
- Os sintomas físicos provenientes da falta de equilíbrio da energia podem ser:

Alternação extrema entre a atividade e a apatia, subindo e caindo rapidamente a temperatura do corpo; alternância entre a fome e a perda do apetite, ou entre a prisão de ventre e a diarréia; enjôos provocados por viagens, enjôos de manhã ao despertar, etc.

Transformação potencial posterior
- Tem poder de concentração e determinação.
- Mantém o equilíbrio interior, sejam quais forem as circunstâncias.
- Versátil e flexível, é capaz de integrar mais e mais potenciais em sua vida.
- Toma decisões corretas instantaneamente.
- Sua presença é calmante para os outros.

Medidas de apoio
- Não exagere, evite os extremos; em vez de uma linha mental ziguezagueante, vise a um suave movimento ondulatório.

- Faça exercícios de respiração para centrar-se e estabelecer um ritmo regular.

Afirmações positivas para praticar

"Estou encontrando meu próprio ritmo."
"A decisão perfeita encontra-se dentro de mim."
"Estou tomando o caminho do meio."
"Estou ligado ao Eu Superior."

29. STAR OF BETHLEHEM
Ornithogalum umbellatum

Esta planta relaciona-se com a cebola e o alho. Cresce até uma altura de 15 ou 30 cm; as folhas delgadas mostram uma linha branca, que corre pelo centro abaixo; pode ser encontrada em florestas e campinas. As flores são listradas de verde por fora e inteiramente brancas por dentro. Só desabrocham quando o sol brilha, entre os meses de abril e maio.

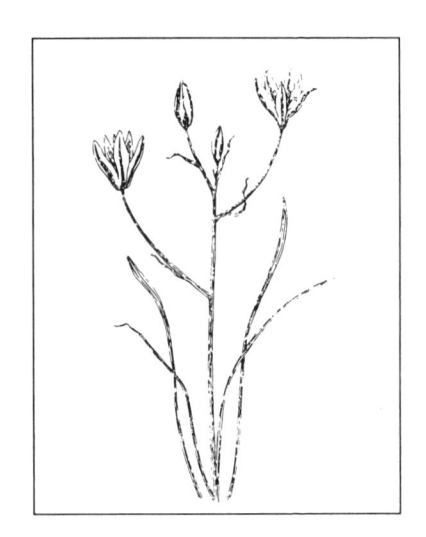

Princípio

Star of Bethlehem relaciona-se com os potenciais da alma ligados ao despertar e à reorientação. Uma pessoa no estado negativo de *Star of Bethlehem* permanece num semi-sonho mental e espiritual, uma espécie de entorpecimento interior.

Indica-se *Star of Bethlehem* para todas as conseqüências de experiências traumáticas físicas, mentais e espirituais, independentemente de haverem elas surgido por ocasião do nascimento, ou apenas ontem, quando a porta do automóvel esmagou o nosso dedo.

Star of Bethlehem é o ingrediente mais importante do Remédio *Rescue*, sintetizando as ações dos outros quatro Remédios Florais. Neutraliza toda e qualquer forma de "trauma energético", restaurando rapidamente o mecanismo autocurativo do corpo.

Trauma é todo impacto direto de energia que o nosso sistema energético se recusa a arrostar, reagindo a ele com deformação, independentemente de ter sido ou não a deformação registrada pela personalidade. Todo "trauma energético" viverá sempre no sistema de energia, causando certo grau de paralisia na área sob a sua influência.

Praticamente todos passamos, no decurso de nossa vida, por experiências mais ou menos traumatizantes, que somos incapazes de agüentar. Alguns choques provocarão imediatamente efeitos físicos. Cita-se o caso da dona de um salão de beleza, por exemplo, intimada a desocupar o salão num prazo de vinte e quatro horas. A partir desse momento, ela se sentiu incapaz de ouvir direito, até que lhe deram *Star of Bethlehem*.

Outras experiências traumáticas podem manifestar-se meses ou anos mais tarde, como diferentes doenças "psicossomáticas". Cada personalidade reagirá à sua maneira, em seu determinado ponto fraco orgânico.

O estado negativo de *Star of Bethlehem*, por via de regra, não se apresenta como um traço crônico. As pessoas cujo caso é esse, parecerão amiúde ligeiramente drogadas e um tanto ou quanto reprimidas. Falam quase sempre em voz baixa, que se torna ainda menos audível à medida que a sentença se aproxima do fim. Movimentam-se com lentidão e, às vezes, mostram-se sutilmente propensas à magia e ao misticismo. Há muitas indicações de que essa gente carrega um fardo cármico, de que participam a magia, a ambição mal-empregada e a droga.

Quanto à fonte do erro no estado negativo de *Star of Bethlehem*, esta reside numa recusa interna, da parte da personalidade, de tomar parte ativa na vida.

Em lugar de desempenhar, no palco da vida, o papel que o Eu Superior atribuiu à personalidade, esta se retrai diante de tudo aquilo a cujo respeito não quer experimentar sentimentos, "correndo as escotilhas", bancando a morta, por assim dizer. O resultado é que grande quantidade de material não digerido se junta, obturando as sensibilidades mais sutis, e, na verdade, envenenando-as às vezes, de sorte que se torna cada vez mais difícil a transmissão da informação de um nível de energia para outro. Conseqüentemente, até a menor demanda de energia será excessiva para o sistema, paralisando-o; e haverá cada vez mais áreas componentes que já não podem entrar em ação de forma conveniente.

Bach chamava *Star of Bethlehem* de "o confortador e mitigador de dores e tristezas".

Star of Bethlehem eleva a personalidade do seu semi-sono mental, reconduzindo-a ao Eu Superior. Vitaliza elos energéticos, particularmente na esfera dos nervos. Os resíduos podem ser dissolvidos. A personalidade torna-se integrada em todos os níveis; mais ativa, é capaz de satisfazer de novo às exigências normais de energia. Dá tino de grande vitalidade, clareza mental e força interior.

Star of Bethlehem é muito usado na prática diária, pela simples razão de que ninguém, hoje em dia, escapa a acontecimentos traumáticos. É preciso pensar nesse Remédio Floral, assim como em *Holly* e *Wild Oat*, nos casos em que não houve, até então, nenhuma resposta verdadeira ao tratamento. Pode haver um choque inconsciente alojado no sistema, bloqueando tudo. *Star of Bethlehem* age como catalisador nesse caso.

Em se tratando de condições psicossomáticas, que se revelam resistentes ao tratamento, *Star of Bethlehem* dá resultados notáveis. Mostrou, por exemplo, muitas vezes, que tem um efeito relaxante sobre a tensão na garganta ou problemas nervosos com a deglutição, isto é, com choques que ficaram entalados na garganta. Sintomas como a incapacidade de ver, de ouvir, de andar, de tocar, também podem ser indicações para se tomar *Star of Bethlehem*.

As pessoas que já tomaram muitos narcóticos na vida beneficiam-se com *Star of Bethlehem* combinado com *Crab Apple*.

Para o recém-nascido, *Star of Bethlehem* é ministrado para contrapor-se ao trauma do nascimento, juntamente com *Walnut* para o ingresso numa nova forma de existência. Alguns especialistas sugerem que se adicione a mistura à água do banho.

Os tratamentos destinados a superar traumas psíquicos, como o renascimento, por exemplo, obtêm valioso apoio de *Star of Bethlehem*.

Sintomas-chave do tipo Star of Bethlehem

Após os efeitos de experiências físicas, mentais ou psíquicas assustadoras, não importando que tenham ocorrido recentemente ou há muito tempo. "Confortador e mitigador de dores e tristezas."

Sintomas devidos ao bloqueio da energia

- Infeliz, triste, uma tristeza paralisante, que se segue a decepções, más notícias e outros acontecimentos sobressaltantes. O evento pode remontar à infância, e pode ser inconsciente. A situação talvez exija que se conforte o paciente, embora ele seja incapaz de aceitar o conforto.
- Pode propender para a magia e o misticismo.
- Possível falta de sensação, andar incerto, decrescimento da fala.
- Pode ser levado em consideração como auxiliar em condições psicossomáticas de todos os tipos, que resistam ao tratamento.
- Pode ter história de abuso de drogas.

Transformação potencial posterior

- Vitalidade interior, mente clara e força interior.
- Capaz de adaptar bem o sistema nervoso às mudanças de energia.
- Capacidade de pronta recuperação.

Medidas de apoio
Não se aplica ao período agudo, mas, em se tratando de seqüelas ulteriores, o que se segue pode ser levado em conta:
- Faça a drenagem da linfa.
- Faça terapias destinadas a resolver traumas energéticos, como, por exemplo, o do renascimento.
- Tome cuidado com os rins.

Afirmações positivas para praticar
"Estou deixando que se vão todos os bloqueios da energia."
"Todo o meu sistema está respirando."
"Minha cabeça é brilhante e clara."
"Dentro de mim há comunicação total."

30. SWEET CHESTNUT
Castanea sativa

Esta árvore cresce até uma altura de cerca de 20 metros em bosques abertos, em solos frouxos com um grau moderado de umidade. As flores, à feição de amentilho, de cheiro enjoativo, só aparecem depois das folhas, no período de junho a agosto, mais tarde do que em outras árvores.

Princípio

Sweet Chestnut está ligado ao princípio da libertação. Uma pessoa no estado negativo de *Sweet Chestnut* chega a ponto de estar convencida de que não há mais esperança nem ajuda para ela.

Bach escreveu a respeito de *Sweet Chestnut*: "É o único (Remédio) para o terrível, o apavorante desespero mental, quando parece que a própria alma experimenta a sua destruição. É o desespero dos que sentem haver chegado ao limite da resistência."

Considerando-se a intensidade do sofrimento, *Sweet Chestnut* é, provavelmente, um dos estados de alma mais fortemente negativos. Entretanto, nem sempre se apresenta de forma tão dramática como a acima descrita, ocorrendo mais amiúde nos planos interiores, amplamente inconscientes para a pessoa envolvida.

O estado negativo de *Sweet Chestnut* é o momento em que a personalidade, completamente sozinha, de costas para a parede, por assim dizer, sente-se inteiramente desamparada e desprotegida, como a avezinha nova que caiu do ninho. Está suspensa no espaço vazio, como o pára-quedista que puxou a corda de abertura do pára-quedas uma porção de vezes, em vão. Lutamos sem nos queixar, com coragem e esperança, mas agora chegamos ao fim, e estamos de mãos abanando. Já não existe o ontem nem o amanhã, apenas um presente vazio e desesperado. Sabemos que, dentro de algumas horas, a enchente tangida pelo vendaval passará por cima da barragem.

O estado negativo de *Sweet Chestnut* é a hora da verdade, a confrontação extrema da personalidade consigo mesma, e, a um tempo, sua derradeira – e falsa – tentativa de lutar contra uma mudança interna crucial, e resistir a ela. É a noite que terá de existir para que o dia possa nascer outra vez.

A intensidade do sofrimento parece ir além do que se pode suportar, os limites da resistência são empurrados cada vez mais para a frente. Isso acontece de modo que todas as estruturas velhas e fixas da personalidade sejam rompidas e abandonadas, a fim de dar lugar a novas dimensões da consciência.

Sweet Chestnut sempre inicia novas etapas de desenvolvimento, como, por exemplo, o fim de um relacionamento destrutivo de longa data. O estado de *Sweet Chestnut* será também, muitas vezes, o Guardião do Limiar no princípio do desenvolvimento espiritual autêntico. O ser humano aprende o que realmente significa estar só, entendendo que somente assim, atirado totalmente de volta sobre si mesmo, pode abrir-se o caminho para outro nível de consciência ou de Deus. Compreendemos que tudo nos é tirado porque precisamos prosseguir de mãos vazias para poder agarrar a vida nova que vem ao nosso encontro; que precisamos dar-nos completamente para podermos renascer totalmente.

A ajuda está mais próxima quando a necessidade é maior, diz o ditado, e isso descreve com muita exatidão a ação de *Sweet Chestnut*. O estado positivo de *Sweet Chestnut* é de confiança em Deus, por maior que seja a adversidade, é o momento em que se ouvem gritos de socorro e os milagres podem acontecer. *Sweet Chestnut* ajuda-nos a atravessar períodos difíceis de transformação, sem nos perdermos ou quebrarmos no processo.

As pessoas que se encontram no estado negativo de *Sweet Chestnut* estão sempre forcejando, como acontece com o tipo *Agrimony*, por esconder dos outros o seu desespero interior. Até em momentos de depressão extrema, nunca pensariam em dar fim a tudo aquilo, como as pessoas do tipo *Cherry Plum* podem fazer.

Em resultado disso, nem sempre é fácil, na prática, reconhecer um estado negativo de *Sweet Chestnut*. Frases como "Já não sei o que fazer", ou "Agora não tenho a menor idéia de como isso poderá continuar" são indicações claras.

Diferenciemos a experiência depressiva de *Gentian*, *Mustard* e *Sweet Chestnut*:

Gentian   Desencorajado por falta de fé; a causa é conhecida.
Mustard   O estado de espírito deprimido vai e vem como uma nuvem negra; causa desconhecida.
Sweet Chestnut A mais profunda angústia e desespero mentais; estado agudo de emergência para a alma.

Sintomas-chave do tipo Sweet Chestnut

Sentimentos do mais absoluto abatimento. Acredita haver atingido os limites da resistência.

Sintomas devidos ao bloqueio da energia

- Tem a sensação de estar de costas para a parede.
- Sente que foi atingido o limite máximo da resistência.
- Sente-se completamente perdido no íntimo, impotente no vazio e no isolamento total.
- Desespero extremo, mas sem pensamentos de suicídio.
- "Noite negra da alma."
- Já não pensa no ontem nem no amanhã; dir-se-ia que não há mais nada senão o caos e a destruição à sua volta.
- Abre mão de todas as esperanças (mais agudamente do que no caso do tipo *Gorse*), mas não fala sobre isso a ninguém.
- Tem medo de poder sucumbir à pressão, contra a sua vontade.

Transformação potencial posterior

- Experiência do nada no limiar de novo horizonte.
- Estava perdido e reencontrou-se.
- Fênix renascendo das cinzas.
- Reconheceu ser possível uma mudança crucial, a jornada interior começou.
- Capaz de acreditar outra vez; experiências pessoais de Deus.

Medidas de apoio

- Pense na idéia de precisar aprender pela dor neste planeta, e pense no conceito da salvação.
- Recreie-se na luz e na natureza não poluída.

Afirmações positivas para praticar
"É preciso que venha a noite para poder vir o dia outra vez."
"Através da escuridão para a luz."
"Quando a necessidade é maior, a ajuda de Deus está mais próxima."
"Meu eu interior é inviolável."

31. VERVAIN
Verbena officinalis

Planta perene robusta e direita, a verbena pode ser encontrada à beira das estradas, em terrenos secos, incultos e em pastos ensolarados. As flores pequenas, coloridas de lilás ou malva, desabrocham entre julho e setembro.

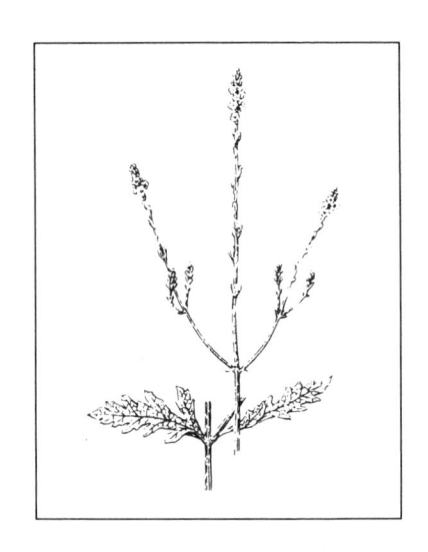

Princípio

Vervain relaciona-se com os potenciais da alma ligados à autodisciplina e ao comedimento. No estado negativo do tipo *Vervain*, a vontade é dirigida para o exterior, e as energias não são usadas economicamente, sendo, portanto, esbanjadas.

Numa excursão da escola, o professor pediu ao jovem Peter que não se esquecesse de lembrar-lhe a hora, para que o programa pudesse seguir sem tropeços. Cheio de orgulho por lhe ter sido conferida essa responsabilidade, ele se prepara para desempenhar a tarefa com grande entusiasmo. Levanta-se pensando nas horas, vai dormir pensando nelas, e, se acordar durante a noite, seu primeiro pensamento será verificar que horas são. Quer fazer o serviço não com cem por cento de correção, mas com cento e cinqüenta por cento, superando-se a si mesmo. Basta que o professor olhe para ele e Peter sairá correndo ao seu encontro para dizer-lhe as horas. Se os outros meninos e meninas se puserem a brincar, correrá atrás deles, quase implorando-lhes que se apressem, pois não podem deixar de conhecer a importância da pontualidade. O jovem Peter não encontra descanso na excursão da classe. Trabalha o tempo todo e os colegas acabam por chamá-lo de "o relógio"; eis aí um exemplo precoce de uma pessoa do tipo *Vervain*.

Uma chama interior brilha nas pessoas desse tipo, geralmente uma idéia positiva que as enche completamente, e elas não conseguem descansar enquanto toda a gente à sua volta não estiver convencida da idéia. Presidentes de organizações de Previdência Social, que sacrificam o tempo de lazer e muitas horas da noite à "boa causa", que nunca temem dizer o que precisa ser dito, são pessoas do tipo *Vervain*. Estão sempre à disposição, devotados ao seu papel, como atores. Com zelo missionário, tentam ganhar para a causa todos os que encontram, às vezes com êxito, outras sem ele. A razão é porque, no seu entusiasmo, acabam se excedendo, e são mais o protagonista apaixonado, que bombardeia os outros com argumentos, do que o diplomata habilidoso, que deixa o interlocutor falar.

Com esse emprego excessivo da força de vontade, tendem a sacar em excesso sobre a conta de energia. Tensos e nervosos por dentro e por fora, reagem, irados, quando as coisas não progridem tão bem quanto esperavam. Em decorrência disso, deixam-se envolver ainda mais, tentando extrair mais ainda de si mesmos. Nunca se permitirão um minuto livre em todo o correr do dia, e têm apenas umas poucas horas de sono durante a noite. Superestimam a própria energia vital e prosseguem, sem dar atenção à saúde. De repente, contraem uma gripe, em virtude do enfraquecimento do sistema de imunização.

Algumas pessoas se sentem tão estimuladas quando se encontram no estado negativo do tipo *Vervain* que, mesmo que o quisessem, achariam difícil relaxar fisicamente. Sua tensão muscular é colossal, como se pode notar pelo comportamento expressivo e pelo modo com que as atividades físicas são também levadas a efeito com um excesso de energia. Elas agarram um lápis, por exemplo, com tanta força que quase o quebram, e, quando sobem uma escada, pelo som dos seus passos tem-se a impressão de que estão calçando botas militares.

As pessoas do tipo *Vervain* irradiam energia e, à diferença dos tipos de *Rock Water*, procuram convencer os outros de uma forma missionária. No fundo, são revolucionários "que vão para as barricadas em sua justa cólera", sem notar sequer, às vezes, que estão desencadeando uma avalancha de complicações. No íntimo, são "pregadores itinerantes", pessoas cônscias da sua missão, que "jamais conseguem ficar de boca fechada" e estão preparadas para ser presas por suas convicções. No caso extremo, a pessoa pode ser também o estudante que embebe as roupas de gasolina e lhes põe fogo em público. Infelizmente, tais pessoas estão fazendo, freqüentemente, menos bem do que mal pela causa, pois são logo postas de lado como fanáticas. Essa é a tragédia e esse é o erro do estado negativo de *Vervain*.

A pessoa no estado negativo de *Vervain* ouviu o chamado vindo de sua alma e quer segui-lo. Ver-se-á, portanto, às vezes, inundada por grande quantidade de energia sem que a personalidade e o corpo sejam capazes de agüentar o repuxo. A personalidade fará esforço para utilizar a energia, mas ainda carece do conhecimento de certas leis e experiências no trato com grandes volumes de energia positiva. A personalidade apodera-se da energia e tenta "fazer" alguma coisa dela, na base dos próprios conceitos limitados, em lugar de deixá-la agir a seu bel prazer. Tenta, por assim dizer, fazer passar um jato forte de água por uma mangueira demasiado estreita.

A personalidade precisa aprender que não lhe foi dada a energia para desbaratá-la indiscriminadamente, como lhe parece conveniente, mas tem de "prestar contas do seu dinheiro". Isso também significa cuidar do corpo, que é o vaso das energias, e não proceder levianamente em relação a ele. Outra coisa que tem de compreender é que uma pressão produzirá sempre uma contrapressão, e que não há necessidade de sermos agressivos na exposição de uma boa idéia, pois somos muito mais convincentes quando incorporamos a idéia, quando "somos" essa idéia.

Uma pessoa no estado positivo de *Vervain* aprendeu a dominar a sua divina inquietação, e pratica esse domínio, usando suas energias com amor, mas eficazmente. Estará inteiramente envolvida na tarefa, mas também estará preparada para ouvir a opinião dos outros e rever sua própria posição, se for necessário. Pensará num contexto mais amplo. Com o seu caráter exuberante, é capaz de inspirar os outros e arrebatá-los facilmente.

A diferença-chave entre o tipo *Vine* e o tipo *Vervain* é:

Vervain Quer entusiasmar os outros com suas idéias, e em sua ansiedade excessiva utiliza demasiada pressão.
Vine Utiliza deliberadamente muita pressão para lograr as próprias finalidades egoístas.

Sintomas-chave do tipo Vervain

Entusiasmo excessivo no apoio a uma boa causa. Leva além do limite as suas energias; altamente sensível e até fanático.

Sintomas devidos ao bloqueio da energia

- Entusiasmado em relação a uma idéia, deseja levar outros consigo.
- Tem princípios firmes, raramente se desvia deles, e está sempre querendo convencer os outros da sua correção.
- Muito intenso, focaliza as coisas com força excessiva, quer realizar cento e cinqüenta por cento.

- Impulsivo, idealista, até extravagantemente impulsivo e idealista.
- Tem grande consciência da missão, está sempre na estacada.
- Em sua impaciência desmedida, diz aos outros como fazer as coisas, age por eles, tenta forçá-los a fazer o que é bom para eles.
- Quer converter os outros, afogando-os em sua própria energia, esfalfando-os.
- Faz as coisas em excesso, ultrapassa-se a si mesmo; quer "vender" uma idéia a outros, e, com isso, não serve à causa.
- Esgota o assunto; fanático.
- Exaspera-se com as injustiças.
- Corajoso, aceita os riscos, preparado para fazer sacrifícios a fim de alcançar sua metas.
- Utiliza enormes energias para que as coisas prossigam, até quando lhe falta a força física.
- Irritável e nervoso, com os "nervos em ponto de bala", quando as coisas não progridem tão bem quanto esperava.
- Tende a ser do tipo rijo, fala e movimenta-se rapidamente.
- Vive dos nervos, sujeito a estados de exaustão e a colapsos nervosos.
- Totalmente estimulado, incapaz de relaxar-se; sofre de tensão muscular, dor nos olhos, dores de cabeça, etc.
- Crianças hiperativas que não se persuadem a ir para a cama à noite.

Transformação potencial posterior
- Defende suas idéias, mas também dá a outros o direito de ter as próprias opiniões.
- Deixa-se converter a outra opinião por meio de bons argumentos, numa discussão.
- Vê as coisas num contexto mais amplo.
- É capaz de usar suas grandes energias com eficácia e com amor para uma finalidade que vale a pena.
- O "portador do archote", capaz de entusiasmar e inspirar os outros sem fazer força, e arrebatá-los.

Medidas de apoio
- Compreende que todo e qualquer sistema se romperá numa hora

ou noutra, se se lhe aplicar uma tensão constante, e que isso não aproveitará a ninguém.
- Admite que nem sempre é a intensidade do esforço empregado, senão uma tática psicológica adaptável, que conduzirá ao bom êxito.
- Não "ultrapassa" os outros, mas "caminha com eles".
- Dá lugar a intervalos específicos de relaxação no programa do dia: senta-se, faz exercícios respiratórios, etc.
- Pratica o Tai Chi e outras formas de meditação, que envolvam movimentos lentos e harmoniosos.
- Pratica esportes competitivos ou lições de dança, para canalizar as energias e os poderes de concentração de forma positiva.

Afirmações positivas para praticar

"Estou me contendo, deixando que os outros venham."

"Estou harmonizando minhas energias, a fim de usá-las com maior cuidado para um efeito melhor."

"Estou me tornando um vaso para conter poderes mais elevados, e entrego-me inteiramente à orientação interior."

32. VINE
Vitis vinifera

Planta trepadeira, que atinge um comprimento de 15 metros ou mais, a videira medra em países de climas mais quentes. As flores pequenas, fragrantes e verdes, crescem em densos racemos. O tempo de florescer varia de acordo com o clima.

Princípio

Vine relaciona-se com o potencial da alma ligado à autoridade e à capacidade de sustentar convicções. Uma pessoa no estado negativo extremo de *Vine* é dura, ávida de poder, sem nenhum respeito pela individualidade dos outros.

Vine é uma forma de energia muito poderosa, que dá à pessoa qualidades de liderança acima da média, ao passo que faz, ao mesmo tempo, exigências extremas à sua personalidade. Sentimo-nos tremendamente tentados a deixar-nos hipnotizar por essa força vulcânica, utilizando-a apenas para satisfazer finalidades limitadas, egoístas.

As pessoas do tipo *Vine* são capazes, ambiciosas e insuperáveis quando se trata de força de vontade e presença de espírito. Encontrarão uma forma de sair de cada situação de crise, e sempre têm as rédeas nas mãos; na luta pela sobrevivência, são vitoriosas, familiarizadas com o sucesso. Mais cedo ou mais tarde, isso as conduzirá à convicção de infalibilidade, e elas pensarão estar fazendo, de fato, um favor ao outros quando lhes dizem como devem fazer as coisas, insistindo que estas sejam feitas à sua maneira.

"Não consigo ver o que eles querem. É no próprio interesse deles...", diz o chefe autoritário de um departamento, ao colega que tenta convencê-lo de que o seu estilo de liderança é militarista demais. "Seja como for, eles não têm a menor idéia do que devem fazer", dirá, sacudindo a cabeça e prosseguindo no trabalho do dia. Na vez seguinte em que se avaliarem os números relativos às vendas, o seu departamento, mais uma vez, será o mais destacado, e ele se porá a pensar se não deve aproveitar a oportunidade para tomar conta do departamento do colega também. Consideração humana – jogo limpo? – ridículo! "Negócios são negócios, e temos de ser impiedosos, se for necessário."

Muitos malfeitores, canalhas e tiranos da história foram tipos negativos de *Vine*. Abra-se hoje um jornal e ver-se-á que os relatos sobre ditaduras, crueldade e tortura deixam perfeitamente claro que a energia negativa de *Vine* continua semeando a mesma devastação em nosso planeta.

Uma pessoa no estado negativo de *Vine* perde todos os sentimentos para com as outras pessoas, caindo vítima das próprias idéias poderosas: "O menino precisa ser tratado com dureza", diz o pai, aceitando o fato de que o filho perderá a afeição que lhe consagra e se porá apenas a temê-lo. "Vocês não têm nada que pensar, basta fazerem exatamente o que eu digo. . ." troveja o velho e rigoroso professor de balé, fazendo oscilar o *baton* entre os dedos. As pessoas necessitadas de *Vine* incluem uma proporção surpreendentemente alta de artistas extremamente sensíveis e ambiciosos, que se obrigam a exercitar-se todos os dias, com disciplina férrea, sempre preocupados, no íntimo, com a sua situação, a noite de estréia, a própria carreira. Essa ansiedade, acompanhada de ambição, vontade de ferro e compulsão para triunfar, forma o conflito que reside, praticamente, em cada estado negativo de *Vine*.

Nisso consiste o erro da personalidade, que usa as forças tremendas que a procuram – forças que ela, por certo, nem sempre é inteiramente capaz de arrostar – em benefício próprio, para satisfazer a própria vaidade, em lugar de colocá-las a serviço de um plano mais elevado. "Que lhe aproveita ser um semideus, se você não é um ser divino?" Um espiritualista americano formulou essa pergunta, que se aplica particularmente às pessoas com acentuados traços do tipo *Vine*.

Quando tomamos *Vine*, abrindo-nos para o Eu Superior e para as metas mais alevantadas da alma, compreendemos que somos sustentados pela própria força que estávamos tentando usar para obter o controle de tudo. Sentimos a força de vontade unir-se ao amor, e a força à sabedoria. Quando nossas ações já não são inteiramente egoístas, porém praticadas visando ao todo maior, nova força nos virá espontânea.

Tornamo-nos o instrumento de um plano mais alto, e nossas ações servirão também automaticamente aos interesses positivos dos nossos semelhantes. Seu reconhecimento, consciente ou inconsciente, dará novas energias aos tipos positivos de *Vine*, conduzindo-os a uma autoridade natural, sem necessidade de um semblante imperioso.

Uma pessoa no estado positivo de *Vine* compreenderá que "fortes qualidades de liderança" são, de fato, necessárias em situações temporárias de crise, e que, na maior parte das vezes, somos tão-somente "o primeiro funcionário do país", como disse com muita justeza o rei alemão Frederico, o Grande. Ela sentirá que a sua função será ajudar os outros a encontrarem o próprio caminho.

Na prática, o estado de *Vine* aparece amiúde junto com outros estados de alma mais fracos, dos tipos *Mimulus*, por exemplo, *Pine*, *Larch* ou *Centaury*. O conflito da personalidade pode residir, por exemplo, numa natureza muito impressionável (*Centaury*) que precisa ser compensada pela força de vontade e pela dureza (*Vine*).

O estado negativo de *Vine* encontra-se com todas as condições físicas que dão expressão a poderosas tensões internas. As mulheres no estado de *Vine* são cônscias do seu papel, na maioria das vezes oculto. A vontade férrea e a natureza exigente raro se expressam verbalmente, senão através de gestos, olhares e ações.

Sintomas-chave do tipo Vine

Dominador, inflexível, luta pelo poder.

Sintomas devidos ao bloqueio da energia

- Muito capaz, extremamente seguro de si, dotado de grande força de vontade.
- Ambicioso e presunçoso.
- Julga saber exatamente o que é certo para os outros; e todo o mundo tem de dançar de acordo com a sua música.
- O homem ou a mulher que, com presença de espírito e decisão firme, salva a situação; bons líderes.
- Corre o risco de usar mal seus grandes dotes por ambição pessoal de poder.
- Menospreza as opiniões dos outros, exigindo obediência absoluta.
- Ávido de poder, quer autoridade; agressivo, não escrupuliza na escolha dos próprios métodos.
- Nunca duvida, nem mesmo por um segundo, da sua superioridade, e, por conseguinte, impõe sua vontade aos outros.
- O tirano doméstico, o pai severo, o ditador.

- Disposição dura, impiedosa, até cruel, sem quaisquer dores de consciência.
- Governa inspirando conscientemente medo aos outros.
- Até na cama de doente, dirá ao médico o que deve fazer, mantém o corpo de enfermagem em constante rebuliço.
- Recusa-se a discutir as coisas, porque, de qualquer maneira, quem está certo é ele.
- As pessoas que se recusam a participar do jogo do poder não lhe merecem a atenção.
- Pode adular os superiores, mas trata os subordinados com casca e tudo.
- Não cede por dentro, do que resulta extrema tensão interna e possíveis condições físicas dolorosas.
- Crianças que intimidam os colegas.

Transformação potencial posterior
- Líder sábio, compreensivo; professor querido, com autoridade natural; "bom pastor".
- Capaz de delegar e colocar suas qualidades de liderança a serviço de uma tarefa maior.
- Ajuda os outros a se ajudarem e encontrarem o próprio caminho.

Medidas de apoio
- Grupo de trabalho – exercite-se em ser um entre muitos.
- Na conversação, procure a comunhão com o Eu Superior da outra pessoa.
- Faça exercícios de ioga para harmonizar o campo de energia.
- Pratique o Tai Chi, para experimentar o fluxo de energia.

Afirmações positivas para praticar
"Governar é servir."
"Reconheço e respeito a natureza única de todo indivíduo."
"Dou ajuda a quem se ajuda."
"Sua vontade será feita."

33. WALNUT
Juglans regia

Esta árvore chega a atingir uma altura de 30 metros e vive bem em áreas protegidas, ao pé de sebes e em pomares. As flores femininas e masculinas crescem na mesma árvore, sendo as masculinas em número muito maior do que as femininas esverdeadas. A árvore floresce em abril ou maio, antes de rebentarem os brotos das folhas ou quando eles rebentam.

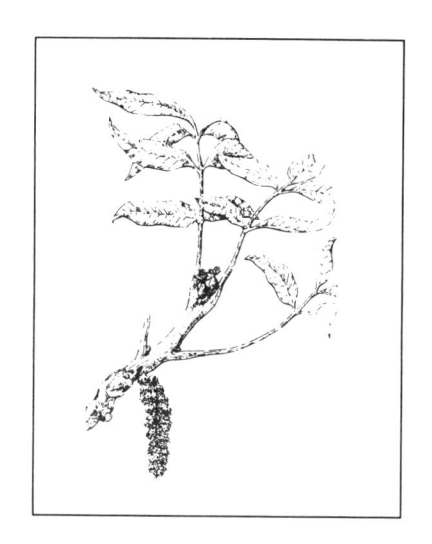

Princípio

Walnut relaciona-se com as qualidades da alma ligadas a um novo começo e à singeleza. Uma pessoa no estado de *Walnut* acha difícil dar o último passo, pois alguns aspectos negativos da sua personalidade ainda estão presos, consciente ou inconscientemente, a antigas decisões ou aos liames do passado.

Assim como os nossos antepassados veneravam a nogueira como árvore régia, assim também o Remédio Floral *Walnut* ocupa uma posição especial entre as 38 Flores de Bach. Ele é principalmente necessário em situações especiais da vida, em que estão a pique de ocorrer mudanças importantes. Tais situações podem ser a conversão a uma nova fé, o ingresso num convento, a mudança para uma ocupação completamente diferente, a emigração para outro país.

Dessa maneira, *Walnut* não só ajuda os novos começos na esfera mental e na espiritual, mas se revela útil nas fases principais da mudança biológica, que também significam mudanças internas vitais, e liberam completamente novos potenciais de energia – quando começam, por exemplo, a nascer os dentes do bebê, na puberdade, na gravidez, na menopausa, ou nas fases terminais da vida física.

Todas as situações que envolvem uma mudança maior são fases de maior estresse, e, portanto, de maior instabilidade interior. Em períodos desse gênero, até caracteres estáveis, que normalmente sabem muito bem o que querem, tendem a vacilar. Inclinam-se a ouvir as advertências sugestivas e o ceticismo de outros, tornam a cair em hábitos antigos, enredam-se em devaneios sentimentais, idéias convencionais ou antigas tradições de família, correndo o risco de abandonar a decisão interior.

A pessoa no estado negativo de *Walnut* está mentalmente sentada num barco que vai atravessar o rio com ela. Pode ver muito bem a margem oposta, mas o barco ainda não está de todo desamarrado. A última corda ainda o mantém inconscientemente atado ao passado, talvez a uma inesperada experiência desagradável, como o relacionamento com um sócio que ainda não foi plenamente aceito, talvez até a uma decisão de que a pessoa não tem consciência. Tudo isso é necessário para o empurrão final e decisivo, quando o comandante dá ordens para desatracar.

Bach escreveu que *Walnut* é "o Remédio para os que decidiram dar um grande passo à frente na vida, romper velhas convenções, deixar antigos limites e restrições e enveredar por um caminho novo". O adeus dirigido a antigas relações, pensamentos e sentimentos é sempre penoso, e pode também, com freqüência, expressar-se fisicamente.

Em condições normais, o estado de *Walnut* é apenas temporário, e os tipos autênticos de *Walnut* não são muito comuns hoje em dia. Quando encontramos algum, há de ser uma espécie de pioneiro, não raro à frente dos outros na luta por idéias e ideais. São as pessoas inovadoras na esfera das idéias. Têm metas de vida firmemente definidas, tendendo, às vezes, a ser menos convencionais no realizá-las. Entretanto, como têm o coração aberto, enfrentam o risco temporário de perder a direção original por causa da pressão de outros.

Só serão, todavia, capazes de cumprir a missão se se despearem na alma e no espírito, e, portanto, precisam sacudir o que quer que possa peá-los. *Walnut** proporcionará o apoio e a firmeza de que eles precisam para isso.

Se podemos falar em erro da personalidade no estado negativo de *Walnut*, este consiste na perda temporária da singeleza, e na reação postergada aos impulsos do Eu Superior. Embora aberta à orientação interior, a pessoa nesse estado ainda se deixa distrair com demasiada facilidade, em lugar de submeter-se plenamente à orientação do Eu Superior. A personalidade ainda se deixa dirigir por outras pessoas e idéias, às vezes quando deveria estar-se concentrando na tarefa estabelecida pela própria alma.

---

* Releva notar que a semente de *Walnut* e a parte anterior do cérebro exibem circunvoluções muito semelhantes. Segundo a opinião vigente, as decisões são tomadas no córtex cerebral.

As razões para isso se encontram a miúdo no passado distante, em outras formas de existência. Podem ser laços cármicos ainda não reconhecidos, decisões erradas tomadas há muito tempo, que exercem um efeito auto-sugestivo no nível inconsciente. Bach também chamou *Walnut* o "quebrador de encantos". A energia do tipo *Walnut* forma uma ponte entre planos diferentes, criando um elo interno entre o destino que se desenrola na frente da cortina e o que se desenrola atrás dela. Ajuda a conseguir a libertação final das sombras e algemas do passado.

Uma pessoa no estado positivo de *Walnut*, de espírito completamente livre, é capaz de desfraldar velas para novos horizontes. Faz progressos no cumprimento da missão de sua vida, sem ser afetada por circunstâncias externas e pelas opiniões dos outros. O próprio Edward Bach era um exemplo do tipo positivo de *Walnut*. Nos últimos anos de sua vida, deixou que tudo se fosse – a aprovação social, a segurança financeira, as tradições da medicina ortodoxa, toda a vida profissional passada. A despeito dos olhares de esguelha dos antigos colegas, seguiu o chamado que recebera, nas mais modestas circunstâncias financeiras.

Alguns exemplos de fases de mudança progressiva em que *Walnut* se revelou útil na prática, geralmente em combinação com outros Remédios Florais de caráter específico, são estes:

No início da aposentadoria; quando a pessoa se muda voluntariamente para um asilo de velhos; depois de um ataque de apoplexia ou outra doença que signifique uma mudança importante no estilo de vida; quando se inicia um trabalho; quando a pessoa entra num mundo muito diverso do ambiente do próprio lar; após a psicoterapia, quando elementos completamente novos da personalidade, tornando-se acessíveis, conduzem a novas decisões interiores; durante o processo do divórcio, quando já se verificou a separação física, mas alguma coisa ainda liga a pessoa ao antigo cônjuge, e os pensamentos negativos de um ou do outro são capazes de realizar seu trabalho e deixar sua marca.

Alguns especialistas usam *Walnut* a fim de defender-se das irradiações de energia dos pacientes. Tem sido usado igualmente para fixar as energias do tratamento homeopático de alta potência e no tratamento de vícios, sobretudo o vício da nicotina. Verificou-se também que o Remédio exerce efeito estabilizador na manipulação quiroprática da espinha e em problemas dentais.

Diferenciação entre diferentes Remédios Florais do Dr. Bach no que concerne à abertura para a influência e para a indecisão:

Centaury   Facilmente influenciado porque a própria vontade é fraca.
Cerato   Facilmente influenciado porque não tem confiança no próprio julgamento.
Scleranthus   Facilmente influenciado em virtude da ausência total de foco mental; durante o tempo todo, é levado de um lado para outro no nível da energia.
Wild Oat   Facilmente influenciado por ambições não definidas.
Honeysuckle   Facilmente influenciado porque a mente insiste em viver no passado.
Clematis   Facilmente influenciado porque a mente tende a viver num mundo de fantasia.
Walnut   Facilmente influenciado em virtude do aumento da sensibilidade e da instabilidade durante fases importantes de novos inícios de vida.

Sintomas-chave do tipo Walnut

Dificuldades de ajustamento em períodos de transição da vida. A pessoa quer resistir a influências poderosas e seguir suas próprias e verdadeiras ambições.

Sintomas devidos ao bloqueio da energia

- Normalmente sabe o que quer, mas tende a vacilar numa situação específica nova.
- Tomou uma decisão importante, que lhe afeta a vida, só que o último passo ainda não foi dado.
- Enfim, quer deixar para trás todas as restrições e influências, mas não é totalmente bem-sucedido.
- Acha difícil escapar à influência de uma personalidade dominante, quando está tomando decisões a respeito da própria vida – pais, parceiros, professores, etc.
- Um inesperado acontecimento externo obriga-o a repensar todo o seu enfoque de vida.
- Mudanças cruciais ocorrem na vida: mudança de ocupação, divórcio, aposentadoria, mudança para outra cidade, mudança para um asilo de velhos, etc.
- Mudanças biológicas importantes estão a ponto de ocorrer: menopausa, gravidez, puberdade, aparecimento dos primeiros dentes, fases terminais de uma moléstia.

- Afinal, quer ter a mente realmente clara no que diz respeito à mudança.
- Renunciou a um relacionamento, mas, em que pese à separação física, ainda se sente sob o fascínio do antigo parceiro.

Transformação potencial posterior

- O pioneiro que permanece fiel a si mesmo.
- Segue a meta de sua vida sem tergiversar, apesar das circunstâncias adversas, e sem se deixar influenciar pelos outros.
- Está aberto e sem preconceitos em relação a tudo o que é novo.
- Reconhece as leis por detrás das mudanças que ocorrem.
- Está imune a influências externas e aberto à inspiração interior.
- Acha-se finalmente capaz de libertar-se das sombras do passado.

Medidas de apoio

- Durante períodos de mudança: durma o tempo suficiente e coma com bom senso. Evite quaisquer fatores adicionais que possam trazer incertezas e novas instabilidades à personalidade.
- Medite no chacra da coroa.
- Pondere nos princípios e no modo de ação de grandes mestres.

Afirmações positivas para praticar

"Estou apenas seguindo minha própria orientação interior."
"Dispenso todos os fatores limitantes, que me impedem de alcançar a meta da minha vida."
"Estou-me agüentando."
"As influências destrutivas passam por mim."

34. WATER VIOLET
Hottonia palustris

Membro da família das primaveras. Floresce em maio e junho em águas que se movem lentamente ou em águas estagnadas, nos charcos e nos fossos. As pálidas flores lilás, com centros amarelos, crescem em espiras em torno do talo sem folhas. As folhas finamente divididas permanecem debaixo da superfície da água.

Princípio

Water Violet relaciona-se com as qualidades da alma ligadas à humildade e à sabedoria. Uma pessoa no estado negativo de *Water Violet* não procede tão sabiamente quanto poderia proceder, recolhendo-se a uma reserva orgulhosa.

A energia de *Water Violet* é a miúdo representada por uma qualidade largamente transformada, de sorte que os traços negativos de *Water Violet* se mostram em conjunção com o potencial positivo de *Water Violet*; trata-se, por assim dizer, de desvios temporários.

A aparência da planta proporciona boa ilustração da sua energia essencial; delicada, mas erecta. A parte que dá estabilidade à planta, as folhas, fica debaixo da superfície da água.

As pessoas com traços fortes de *Water Violet* têm habitualmente o domínio da personalidade altamente desenvolvido. Apresentam uma imagem de superioridade discreta e calma supremacia. Aos olhos dos outros podem parecer, portanto, inacessíveis e inexpugnáveis. As pessoas tipo *Water Violet* diferem dos outros. Como um gato siamês bem educado, movem-se silenciosos, pelo espaço, com digna delicadeza, escolhendo o caminho, sem se deixar influenciar pelos demais. Vendo uma criatura assim, muitos de nós devemos ter pensado: "É assim que eu queria ser!" No entanto, a despeito das capacidades acima da média e do alto grau de individualidade, os caracteres do tipo *Water Violet* também têm problemas muito especiais.

Tomem, por exemplo, a muito admirada professora de ioga. Sem embargo das maneiras soberanas e das qualidades superiores, ela, às vezes, se sente isolada dos seus semelhantes. Acha difícil, nesses dias, descer do pedestal em que os alunos a colocaram, e aproximar-se deles à vontade. A camaradagem exuberante, emotiva, não é o seu forte, pois sua afeição tem raízes mais espirituais, e ela, às vezes, não sabe até onde deve chegar o seu coração; em caso de dúvida, prefere manter-se na reserva. Outros acham difícil transpor-lhe a barreira de som, altamente pessoal, mas as pessoas do tipo *Water Violet* são sempre solicitadas a dar conselhos, e, muitas vezes, transformadas numa espécie de cesta de lixo.

Quando a drenagem da energia, que se deve às exigências dos outros, é muito grande, pode acontecer que, de repente, as pessoas do tipo *Water Violet*, sacudindo a cabeça interiormente, cheguem à conclusão de que devem ser alguma coisa muito especial, e caem no defeito herdado do orgulho e da arrogância, recolhendo-se debaixo da sua carapaça de tartaruga. Ali não podem ser importunados. Assim como, por princípio, não interferem nos assuntos dos outros, assim também rejeitam a interferência de terceiros em seus negócios, até quando estão mal. Preferem lidar com os próprios problemas. Gostam de manter o lábio superior cerimonioso, mesmo que estejam sozinhos, e isso bloqueia grande parte de sua energia, levando talvez, a longo prazo, à tensão e à rigidez em todo o corpo.

Pessoas com traços acentuados de *Water Violet* são muito apreciadas como superiores, não só por serem conscienciosas no trabalho, mas particularmente porque possuem a capacidade de ser algo como uma rocha calma e objetiva no meio da rebentação atroadora das emoções departamentais. Embora estejam quase sempre no topo das coisas, preferem empregar o tato no trabalho e nas ações, calmamente, dos bastidores. A única coisa que acham difícil é tomar decisões duras, pois têm sempre consciência da situação de toda a gente envolvida. À diferença do tipo *Vine*, um patrão do tipo *Water Violet* nunca obrigará um empregado a fazer alguma coisa. Mas se os seus desejos não forem compreendidos durante muito tempo, ele se afastará interiormente da pessoa.

Um indivíduo no estado negativo de *Water Violet*, que permanece por um tempo demasiado longo dentro da carapaça de tartaruga, não está fazendo um favor a si mesmo, visto que se isola da troca livre de energias, sem a qual até o mais excelente dentre nós é incapaz de existir. A personalidade enregela-se cada vez mais em relação ao ambiente e a si mesma. Virou as costas para o Eu Superior nesse momento, erradamente, e recusa-se a reconhecer que sua superioridade e qualidades especiais são também uma obrigação.

Em vez de desligar-se dos outros, a personalidade do tipo *Water Violet* deve transmitir seus valores em trocas conscientes ou inconscientes de energia com outros, e ser, em sua superioridade, um exemplo inspirador.

Esse elemento exemplar é um traço destacado das pessoas no estado positivo de *Water Violet*. São uma ilha de paz, calma e confiança para os que as circundam. Progridem pela vida afora com graça amável e dignidade interior.

Professores e pessoas que trabalham em profissões ligadas à cura são, muitas vezes, indivíduos do tipo *Water Violet*. Quando nos assalta a sensação temporária, como terapeutas, de que somos incapazes de estabelecer contato com os pacientes, ou sentimos, de repente, a necessidade de afastar-nos completamente do mundo, o Remédio indicado é *Water Violet*.

Em alguns casos interessantíssimos, produziu-se um eczema simbólico na mão direita desses terapeutas. É a mão que estendemos para o mundo.

Sintomas-chave do tipo Water Violet

Reserva interior, afastamento orgulhoso, sensação de superioridade no isolamento, escasso envolvimento emocional.

Sintomas devidos ao bloqueio da energia

- Sente-se, às vezes, isolado por causa da sua superioridade.
- Sendo fora do comum, mostra-se, às vezes, reservado, e é então considerado pretensioso ou orgulhoso.
- Não permitirá aos outros que interfiram em sua vida.
- Separa sozinho as coisas, pois não quer sobrecarregar os outros com os seus problemas.
- Quer ficar a sós quando não se sente bem.
- Acha difícil, às vezes, aproximar-se dos outros à vontade.
- Às vezes, sente vontade de retirar-se completamente, "meu lar é o meu castelo".
- É difcil, para os outros, romper a "barreira do som" e estabelecer um autêntico contato pessoal.
- Evita disputas com implicações emocionais, que lhe parecem extenuantes.

- Não lhe agrada tomar decisões duras, pois é sempre capaz de ver a situação de toda a gente envolvida.
- É muito procurado para dar conselhos.
- Raramente grita, procura manter o lábio superior rígido.

Transformação potencial posterior
- Encantador, delicado, mostra uma reserva cheia de tato.
- Sua atitude independente, igual, tende para o lado calmo.
- Capaz, competente, muitas vezes superior ao outros.
- Confia em si mesmo, sabe quem é.
- Satisfeito consigo mesmo, gosta de estar no que é seu.
- Em regra geral, tem as rédeas da vida nas mãos.
- Movimenta-se com calma, de um jeito bonito, e com discrição.
- Fala freqüentemente em voz baixa, polida e insistente.
- Sua atitude é tolerante – vive e deixa viver.
- Não lhe agrada interferir, nem mesmo quando vê as coisas de maneira muito diferente.
- Coloca-se, geralmente, no topo das coisas, "rocha no seio das águas espumejantes".
- Trabalha de maneira excelente, consciensiosa, prefere permanecer nos bastidores.
- Para os outros é a imagem de uma pessoa de mente equilibrada e independente.
- Age com humildade, amor e sabedoria.
- É capaz de criar uma atmosfera de calma, confiança e tranqüilidade.
- Vive a vida com elegância e dignidade interior.

Medidas de apoio
- Exercite-se para afinar-se com o Eu Superior de todos aqueles com os quais está lidando.
- Ocupe-se com passatempos criativos não-sofisticados.

Afirmações positivas para praticar
"Sou uma parte, participo."
"Eu preciso do mundo e o mundo precisa de mim."
"Compartilho o amor, a humildade e a sabedoria."

35. WHITE CHESTNUT
Aesculus hippocastanum

Essa é a castanha do cavalo, que floresce no fim de maio e no princípio de junho. As flores masculinas tendem a ficar no topo dos "candelabros", as folhas femininas embaixo deles. As flores, de um branco cremoso, são salpicadas de pontos carmesim e amarelos.

Princípio

White Chestnut relaciona-se com as qualidades da alma ligadas à tranqüilidade e ao discernimento. Uma pessoa no estado negativo de *White Chestnut* é vítima de conceitos mentais malcompreendidos e inadequados.

Todos conhecemos o estado depois de contratempos no trabalho. Após duas horas de debates acalorados, tudo parece satisfatoriamente resolvido.

À noite, sentado na banheira, você procura descansar, mas a discussão que teve no trabalho continua. Acode-lhe agora à cabeça tudo o que deveria ter dito e não disse. Muitas e muitas vezes, você se defende diante de uma comissão imaginária da fábrica. Muitas e muitas vezes, ouve a observação depreciativa feita por um sócio da firma, que, no entanto, você tinha em alto conceito. Será possível que ele se esteja revelando uma decepção tão grande para você? Você deve ou não romper com ele? E que dizer do grande pedido novo que acaba de chegar? Esqueça-se disso, amanhã cedo você poderá pensar em tudo desapaixonadamente, agora é ir para a cama e dormir um bom sono. Mas o sono está fora de cogitações. O carrossel dos pensamentos continua a girar enquanto você jaz na cama, com os mesmos argumentos e contra-argumentos. Oh, se pudesse ao menos desligar esses pensamentos cansativos, detê-los!

As pessoas que mostram traços fortes de *White Chestnut* não passam por isso apenas uma vez, senão freqüentemente. Muitas se acostumaram de tal maneira a esses diálogos em sua mente que os consideram mais ou menos normais.

No estado negativo de *White Chestnut* somos vítimas de um processo mental presunçoso, que levou a melhor sobre todos os outros níveis da personalidade. Algumas pessoas necessitadas de *White Chestnut* experimentaram a cabeça como uma unidade de energia completamente separada durante a meditação.

"Em meus pensamentos sou como um *hamster* em sua roda, que não consegue dar um passo adiante," disse o menino da escola secundária no estado de *White Chestnut*. "Meus pensamentos são pequenas centopéias mentais, que se recusam a desaparecer da minha cabeça e levam a melhor sobre ela." "No outro dia eu estava tão ocupado com os meus argumentos mentais que quase violei os sinais do tráfego." "Minha cabeça está tão cheia de conversas mentais que não consigo formular um só pensamento claro quando estou no escritório." Essas também são afirmações típicas de pessoas no estado negativo de *White Chestnut*.

Algumas sofrem de uma dor de cabeça frontal crônica,* particularmente acima dos olhos. Muitas têm problemas para pegar no sono, ou os seus pensamentos as acordam às quatro horas da manhã, recusando-se a ir embora, como se fossem cansativos vendedores de porta em porta.

O rosto também trairá, com freqüência, grande tensão mental. As pessoas no estado de *White Chestnut* tendem a ranger inconscientemente o maxilar inferior.

Em seu *Manual Ilustrado dos Remédios Florais do Dr. Bach*, o Dr. Philip Chancellor escreve: "À diferença do tipo *Clematis*, que usa seus pensamentos para escapar do mundo, o tipo *White Chestnut* daria qualquer coisa para escapar dos seus pensamentos para o mundo", a fim de ter o cérebro frio e claro.

Existem muitas hipóteses diferentes a respeito da origem do estado de *White Chestnut*. O próprio Dr. Bach disse que ele ocorria quando a mente se afastava dos assuntos que estavam sendo discutidos, perdendo a concentração e permitindo que outros pensamentos, não resolvidos e talvez mais importantes, aflorassem à superfície.

Seja como for, parece que um processo de seleção no nível da alma e do espírito não está funcionando tão bem quanto deveria. A mente não desenvolveu a capacidade de discriminar entre os pensamentos e

---

* A medicina popular do século XIX aconselhava as pessoas a carregarem consigo três castanhas-da-índia cruas, durante três dias, para curar uma dor de cabeça de proveniência nervosa, e não de um excesso de sangue na cabeça. Receita, aliás, bem-sucedida.

idéias que devem ser aceitos pelo sistema e os que devem ser rejeitados. Ela quer compreender tudo o que aparece, e, então, vê-se incapaz de integrar coisa alguma.

As idéias giram como papéis em desordem sobre uma pequena escrivaninha, quando as peças sem importância escondem os documentos importantes, quase sempre causando consternação. A única solução é arrumar a escrivaninha, separando as coisas importantes das que carecem de importância.

No estado negativo de *White Chestnut* a personalidade voltou as costas para a orientação do Eu Superior, e isso se manifesta nas conseqüências da sua egoística voracidade mental. Na ausência de orientação no escolher a meta mais elevada para a vida, a personalidade se põe a brincar com demasiada energia mental, interpretando mal, perdendo o caminho e caindo vítima de impulsos estranhos que não têm lugar no programa da alma. Logo que ela volta a aceitar a orientação do Eu Superior e da alma, todos os impulsos mentais são automaticamente selecionados para servir aos seus melhores interesses. Ela pode deixar que se vão todos os elementos mentais estranhos, que interferem e bloqueiam a visão do programa da própria alma.

No estado positivo de *White Chestnut*, a personalidade é capaz de deixar passar correndo por ela todo impulso estranho de pensamento, como um trem expresso, no qual nunca se sente tentada a embarcar. A calma e a paz são as notas-chave do seu estado mental. Do lago claro da consciência emergem, espontâneas, as respostas desejdas e as soluções de problemas. As pessoas no estado positivo de *White Chestnut* são capazes de fazer um emprego construtivo do seu poderoso plano mental.

A distinção entre *Hornbeam*, *Scleranthus* e *White Chestnut*, no que tange à sensação de que os pensamentos impelem a pessoa para baixo, é a seguinte:

Hornbeam   Cabeça pesada, sente-se mentalmente sobrecarregado; o cansaço predomina.
Scleranthus   Vacila mentalmente entre duas escolhas, como um gafanhoto; menos orientado pela cabeça do que o tipo *White Chestnut*.
White Chestnut Muito orientado pela cabeça; os pensamentos giram constantemente à roda; prisioneiro dos próprios pensamentos.

Sintomas-chave do tipo White Chestnut
Pensamentos não desejados continuam girando na cabeça, que não consegue livrar-se deles; discussões e diálogos mentais.

Sintomas devidos ao bloqueio da energia
- Pensamentos não desejados acodem de contínuo à mente, e não podem ser detidos.
- Uma preocupação ou um acontecimento não o deixa, consumindo-lhe a mente.
- Pensa reiteradamente no "que poderia ter dito" ou no "que deveria ter dito".
- Sensação de um disco de gramofone que não pára de saltar do sulco.
- Boiando mentalmente, sem nenhuma utilidade, sente-se como um *hamster* na roda.
- Constante conversação mental, a cabeça transformada em sala de ecos.
- Repisa mentalmente os mesmos problemas, uma e muitas vezes.
- Hiperatividade mental; em conseqüência disso, carece de concentração na vida de todos os dias (por exemplo, não ouve quando alguém se dirige a ele).
- Não pode dormir em virtude dos pensamentos que lhe andam à roda na cabeça, particularmente nas primeiras horas da manhã.
- Cansado e deprimido durante o dia, a cabeça dá-lhe impressão de estar cheia.
- Pode ter dor de cabeça frontal, dor nos olhos.

Transformação potencial posterior
- Estado de espírito equilibrado.
- Cabeça clara e calma.
- A solução para todos os problemas aflora espontânea, vinda da mente calma.
- É capaz de usar construtivamente os poderes do pensamento.

Medidas de apoio
- Reflita sobre o assunto do "poder do pensamento".
- Resolva encadeamentos não desejados de pensamentos pela vi-

sualização, como, por exemplo: dissolva-os na água, queime-os no fogo, cubra-os com neve, coloque-os sobre os trilhos de uma estrada de ferro, etc.
- Faça exercícios respiratórios, exercícios de ioga para harmonizar o sistema energético.

Afirmações positivas para praticar

"A calma flui diretamente através de mim."
"Tudo está tomando o seu curso."
"A solução de que preciso acorrerá à minha mente de forma espontânea."
"Dispenso todos os conceitos estranhos e antiquados."

36. WILD OAT
Bromus ramosus

Gramínea comumente encontrada em florestas úmidas, bosques cerrados e à beira das estradas. As flores hermafroditas são encerradas em brácteas em suas espículas.

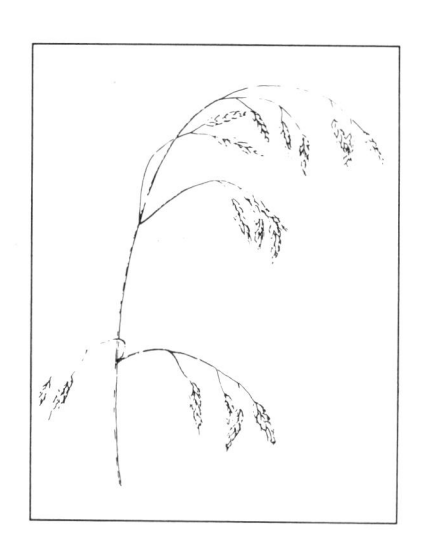

Princípio

Wild Oat relaciona-se com as qualidades da alma ligadas à vocação e ao propósito. Uma pessoa no estado negativo de *Wilde Oat* não conhece sua verdadeira vocação, e, por conseguinte, não se sente realizada e satisfeita no íntimo.

As pessoas típicas de *Wild Oat* mostram freqüentemente esse traço até quando muito jovens. Costumam ser bem-dotadas e não precisam fazer nenhum esforço pessoal para realizar o que quer que seja. Muitas coisas lhes caem simplesmente no colo. Não obstante, ambiciosas, desejam realizar alguma coisa especial. Mas têm apenas um vaga idéia do que isso pode ser. Ao mesmo tempo, as pessoas do tipo *Wild Oat* também querem gozar a vida, geralmente de maneiras não convencionais. Recusam-se a seguir com a corrente, preferem dirigir o próprio barco. Infelizmente, não sabem o nome do porto. As pessoas do tipo de *Wild Oat*, portanto, também acham difícil ajustar-se à sociedade. Não gostam de comprometer-se, e pode acontecer que a falta de definição dê com elas, afinal, em grupos de outro nível intelectual ou espiritual, do que resulta nova frustração.

A vida está sempre oferecendo novas oportunidades às pessoas do tipo de *Wild Oat*. Elas começam muitas coisas, não raro têm certo número de profissões, em que são bem-sucedidas, mas sempre lhes falta a certeza interior real, que lhes permitirá uma decisão final e definitiva. Volvido algum tempo, o trabalho, até então agradável, começa a perder o interesse, e, no íntimo, os colegas entre os quais se sentiam tão à vontade são agora julgados chatos. O próprio tipo *Wild Oat* derruba o que ergueu, a fim de seguir no rumo da oportunidade seguinte, com a esperança de que esta se revele realmente satisfatória.

Quem não tiver tido experiência dessas coisas poderá imaginar que um estado assim de inquietação criativa é estimulante, mas, com o correr do tempo, constata o contrário. As pessoas no estado negativo de *Wild Oat* sentem a vida passar por elas, a despeito dos seus talentos e atividades. Sentem-se pesarosas por nunca terem sido capazes de ser inteiramente afirmativas, e de gozar os frutos dos seus labores.

Os indivíduos do tipo *Wild Oat* são, no íntimo, eternos solteirões, sempre à espreita mas jamais alcançando a meta. Em realidade, a sua condição também pode ser descrita como uma puberdade mental atrasada. A cabeça está cheia de idéias e noções extravagantes a respeito de todas as coisas que gostariam e deveriam fazer. A pessoa ainda está na idade de levar uma vida de pândega, de malbaratar as energias em todas as direções, em vez de, pelo contrário, aceitar a orientação do Eu Superior e buscar uma só meta.

O erro no estado negativo do tipo *Wild Oat* é o erro da obstinação excessiva e do excessivo egoísmo da personalidade, que parte com cego entusiasmo na busca de metas e decisões no mundo exterior, em vez de compreender que só precisa seguir a orientação do Eu Superior para descobrir que a decisão, tomada há muito tempo, está dentro de si mesma.

As pessoas do tipo *Wild Oat* precisam aprender a procurar antes a profundidade que a amplidão. Descobrirão que a vida não será mais enfadonha, como supunham poder ser, senão, pelo contrário, que oferece novas experiências nunca sonhadas. A cada decisão que tomam devem procurar a verdadeira razão interior. Pois terão de compreender que não se trata de fazer alguma coisa "especial", mas de fazer a coisa certa em determinada situação, fazê-la tão completamente e tão bem quanto possível, visto que tudo o que fazemos é parte essencial de um progresso maior e significativo. Precisam saber que os seus ricos talentos são necessários dentro do contexto do todo maior, e exigem orientação interna.

A pessoa que tomar *Wild Oat* sentir-se-á cada vez mais calma, mais clara e mais certa no coração e na mente. Pouco a pouco, terá uma imagem mais nítida do que realmente deseja, e passará a agir mais por intuição do que por impulso. É possível alinhar com segurança seus muitos talentos diferentes, fazê-los servir a uma meta mais elevada, e nem as mais sedutoras oportunidades novas, que poderão acenar-lhe, a farão deixar escapar o fio que encontrou. A vida continuará a oferecer muita variedade, mas será agora mais satisfatória e mais feliz.

Como *Holly*, *Wild Oat* é considerado bom para iniciar um curso de tratamento, quando a combinação de Remédios Florais usados não trouxer uma resposta, ou quando tudo indicar que uma quantidade exagerada de Flores foi prescrita ao mesmo tempo.

Wild Oat, contudo, também se apresenta freqüentemente como uma condição a longo prazo, que pode remontar à infância. Crianças típicas de *Wild Oat* raro participam de gangues ou de grupos de iguais semelhantes. Na realidade, nunca participam, e estão em toda a parte e em parte alguma. Às vezes, um estado do tipo *Wild Oat* na idade adulta pode remontar a pais muito dominadores, que nunca permitiam à criança decidir por si mesma, enfraquecendo-lhe o desenvolvimento da personalidade. *Wild Oat* é sempre indicado quando urge tomar decisões vocacionais e, amiúde, em "crises da meia-idade" masculinas. Conforme a experiência de alguns especialistas, as pessoas do tipo *Wild Oat*, às vezes, têm problemas sexuais. Muitos propendem também para comer demais.

A diferença entre *Scleranthus* e *Wild Oat* no que concerne à indecisão é a seguinte:

Scleranthus Vacila entre dois pólos opostos.
Wild Oat Tem tantas oportunidades que, muitas vezes, não chega sequer a escolher entre duas alternativas.

Sintomas-chave do tipo Wild Oat
Indefinido quanto às ambições, insatisfação por não ter encontrado sua missão na vida.

Sintomas devidos ao bloqueio da energia
- Tem noções vagas no tocante a metas, não encontra direção na vida, o que acarreta insatisfação, frustração e tédio.
- É ambicioso, quer fazer alguma coisa especial, mas não sabe exatamente o quê.
- Embora ambicioso, não se sente inclinado a nenhuma profissão especial, e esse "estar pendurado no ar" conduz ao desânimo.
- Está deprimido porque as coisas não são tão bem delineadas para ele quanto para os outros.

- Tem muitos talentos, tenta fazer todo o tipo de coisas, mas não encontra satisfação verdadeira.
- Talentos e capacidades não canalizados.
- Não quer comprometer-se e, por isso, tende inconscientemente a acabar na mesma situação insatisfatória muitas e muitas vezes.
- Malbarata facilmente seus talentos e energias.
- Não sabe a que lugar se ajusta.
- A vida profissional e a vida particular não são do tipo certo.

Transformação potencial posterior

- Capacidade de reconhecer o próprio potencial e desenvolvê-lo em toda a sua plenitude.
- Ampla variedade de talentos; é capaz de seguir uma diretriz mais elevada e terminar o que começa.
- Tem idéias e ambições claras e não permitirá a si mesmo desviar-se delas.
- Capaz de fazer bem muitas coisas, e até exercer vários cargos simultaneamente com êxito.

Medidas de apoio

- Comece a sujeitar a vida a metas espirituais mais elevadas.
- Peça orientação espiritual.
- Estabeleça uma escala de valores para interesses diferentes, levando a cabo alguns como passatempos e utilizando outros profissionalmente.
- Comece a planejar apenas a prazo médio, mas leve tudo à plena completação.

Afirmações positivas para praticar

"Sigo o curso predestinado de minha vida."
"Aceito a orientação interior."
"Coloco meus talentos a serviço do todo maior."

37. WILD ROSE
Rosa canina

Antepassado de muitas roseiras cultivadas, a roseira-canina gosta de crescer ao sol, nas orlas dos matos, nas sebes e em vertentes pedregosas. As flores são brancas, cor-de-rosa pálida ou cor-de-rosa escura, com cinco pétalas grandes em forma de coração. Desabrocham isoladamente, ou em grupos de três, entre os meses de junho e agosto.

Princípio

Wild Rose relaciona-se com os potenciais da alma ligados à devoção e à motivação interior. Uma pessoa no estado negativo de *Wild Rose* interpreta mal o princípio da devoção e toma-o negativamente.

No estado de *Wild Rose*, não seguimos felizes pela vida afora, voltados à nossa tarefa dentro do todo maior; ao invés disso, vivemos cheios de expectativas negativas, extremamente fixas, ligadas à personalidade. A incompreensão manifesta-se amiúde nos primeiros dias de vida, ou pode ainda derivar de formas anteriores de existência. Em resultado disso, a iniciativa pessoal é completamente abandonada, e sobrevém uma resignação apática em relação à vida interna e externa.

Uma criancinha que esteve chorando, chamando pela mãe horas a fio, em algum momento deixará de esperar pela volta da mãe para livrá-la da fome. Sentindo-se completamente desamparada e completamente vazia, acaba por resignar-se à sua sina. Desaparece o interesse pela vida. O que sobra é alguém que simplesmente vegeta, sem energia.

Pessoas precisadas de *Wild Rose* parecem amiúde semimortas, como plantas que mal existem, em estado de miséria, carentes de seiva. Foram muito além da depressão. Capitularam, como pessoas condenadas à morte, que aceitam o seu destino. Pensam que suas circunstâncias não podem ser alteradas – a doença crônica, o casamento comprometido, o emprego insatisfatório. Nunca lhes ocorre que as coisas poderiam ser diferentes. "É de família!" "A gente, simplesmente, tem de viver com isso." "Acabou-se tudo, pelo menos no que me diz respeito." Estas sentenças, e outras semelhantes, proferidas com voz sem expressão, constituem, por vezes, um enigma para os outros, já que as circunstâncias externas nem sempre parecem justificá-las.

As pessoas em estado negativo de *Wild Rose* são uma companhia tediosa, e, portanto, cansativa, e a sua apática falta de interesse deprime toda a atmosfera.

O estado de *Wild Rose* já foi também descrito como uma forma de "anemia mental", porque muitos programas mentais inibitórios tornam impossível à pessoa captar as energias vitais cósmicas na qualidade certa e transformá-las dentro de si mesma.

O estado de *Wild Rose*, entretanto, nem sempre é tão aparente assim. Quando ocorre em níveis mais sutis, pode até manifestar-se na forma de uma atividade compensatória frenética, como é o caso, por exemplo, do "empresário bem-sucedido".

Quem quer que tome *Wild Rose* sentirá gradativamente reviverem suas disposições de espírito, e começará a viver outra vez. Libertado, será capaz de entrar cada vez mais na vida, à medida que os dias vão passando. Com a energia vital fluindo de modo crescente através de si, é capaz, finalmente, de deixar que todas as riquezas da vida, grandes e pequenas, venham a ele, com prazerosa expectativa e vivo interesse.

Wild Rose é, muitas vezes, um Remédio a longo prazo, conquanto também se tenha revelado proveitoso na falta temporária de energia, como, por exemplo, durante a psicoterapia, quando os primeiros anos da vida precisam ser integrados, e também quando a vitalidade é baixa, depois de se ter vivido sexualmente sem medida, depois de um aborto, ou de uma fase de trabalho intenso com a própria personalidade.

A diferença entre *Wild Rose* e *Gorse* no que diz respeito à desesperação é a seguinte:

Wild Rose   Segue vivendo num estado paralisante de apatia. Nunca lhe ocorre esperar por mais alguma coisa. Completamente passivo.

Gorse   Teve esperanças, mas acha-se agora desesperado, acreditando que as esperanças terão de ser, finalmente, sepultadas. Um pouco mais ativo interiormente do que o tipo *Wild Rose*.

A diferença entre *Sweet Chestnut* e *Wild Rose* com respeito à resignação é a seguinte:

Sweet Chestnut Acredita haver chegado aos limites da resistência, está a termos de alcançar o ponto em que a resignação se instala. Entretanto, ainda assim não desiste.

Wild Rose Aceita o fato de que o limite foi transposto. Desistiu, no íntimo, total ou parcialmente. Mais passivo do que o tipo *Sweet Chestnut*.

Sintomas-chave do tipo Wild Rose

Apatia; falta de interesse e ambição; resignação; capitulou.

Sintomas devidos ao bloqueio da energia

- Desistiu no íntimo, embora as circunstâncias não sejam tão desesperadas, nem tão negativas.
- Não sente absolutamente nenhuma alegria na vida, e tampouco alguma motivação interior.
- Desistiu de envidar esforços para fazer quaisquer mudanças em sua vida.
- Fatalisticamente resignado a tudo.
- Aceita o próprio destino – a vida doméstica infeliz, o emprego insatisfatório, a doença crônica, etc.
- Acredita haver herdado a saúde precária.
- Tristeza desesperançada subjacente.
- Cronicamente entediado, parece exausto, indiferente e vazio.
- Não se queixa do próprio estado, pois o considera perfeitamente normal.
- Está sempre cansado, sem energia de espécie alguma, vegeta apaticamente.

Transformação potencial posterior

- Encontra diariamente um interesse novo, vital, em sua vida.
- Enfrenta toda a vida, sem que esta se torne uma rotina paralisante.
- É capaz de seguir feliz as leis internas da vida.
- Vive com uma sensação de liberdade e flexibilidade íntimas.

Medidas de apoio

- Compreenda que é necessário mudar consciente e decisivamente os seus programas mentais negativos.

- Faça psicoterapia, terapia da reencarnação, trabalho com símbolos.
- Dedique-se a passatempos físicos, que requeiram reações flexíveis e improvisação.

Afirmações positivas para praticar

"Faço jus a tudo o que desejo da vida."
"Posso sentir a vida tornando-se mais e mais interessante e bela."
"Estou mergulhando na vida."
"Estou desenvolvendo programas de vida novos e positivos."

38. WILLOW
Salix Vitellina

Existem muitas espécies diferentes de salgueiros, mas esta é facilmente reconhecível no inverno, quando os ramos assumem uma coloração brilhante entre o laranja e o amarelo. Gosta de crescer em solo úmido e baixo. As flores masculinas e femininas desabrocham no princípio de maio em árvores separadas.

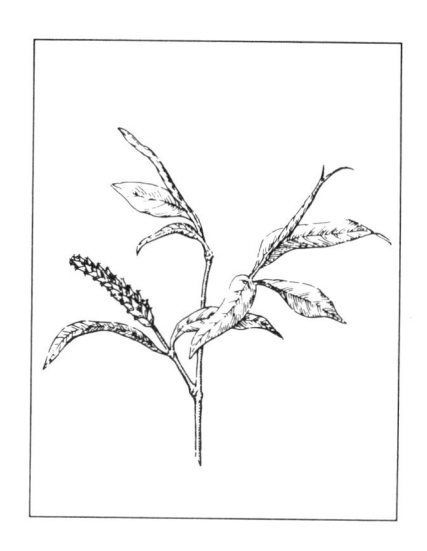

Princípio

Willow relaciona-se com as qualidades da alma ligadas à responsabilidade pessoal e ao pensamento construtivo. Uma pessoa no estado negativo de *Willow* censurará todos e tudo, menos ela mesma, e seus pensamentos tenderão a ser negativos e destrutivos.

Nos dias de *Willow* negativo descarregamos a bile contra o destino, ressentindo-nos do tratamento que recebemos. Nem podemos compreender que os outros sejam tão alegres e tão isentos de preocupações; nós lhes invejamos a boa fortuna e nos sentimos tentados a estragar-lhes o dia. Todos temos dias assim, quando não estamos bem com nós mesmos. Esses dias representam um estado negativo temporário de *Willow*.

Esse estado, infelizmente, também pode tornar-se crônico, e, nesse caso, terá um efeito muito destrutivo sobre a pessoa e todo o seu ambiente. Assim como a maçã estragada, mais cedo ou mais tarde, fará que apodreçam todas as outras na mesma cesta, assim a pessoa no estado negativo crônico de *Willow* tende a infectar os que a rodeiam, transformando-se numa desmancha-prazeres e numa chata.

A pessoa no estado negativo de *Willow* sente-se vítima indefesa de um destino cruel, que, reiteradamente, lhe mostra a sua malquerença. "Não creio que eu mereça isso!" "A vida, às vezes, é bem injusta!" queixar-se-á ela, e nunca lhe ocorrerá pensar em seu próprio comportamento quando faz tais acusações.

Willow é um estado em que as decepções e o ressentimento são projetados com força sobre o mundo externo. É o que se vê, de ordinário, em pessoas que já passaram pelo ponto central da vida e constatam, inconscientemente, que apenas uns poucos dos seus ideais e esperanças foram realizados.

O chefe de departamento, que começa a envelhecer, preterido quando um antigo colega foi nomeado gerente, sente que o outro o encara com ar de superioridade. "Bem, agora que foi promovido pode dar-se ao luxo de..." dirá ele, com o rosto ralado de cuidados e os cantos da boca virados para baixo. Os caracteres crônicos de *Willow* resmoneiam consigo mesmos, depois de se haverem cercado de um muro invisível de negatividade.

As pessoas do tipo *Willow* podem guardar um ressentimento durante anos, sem nunca pôr as cartas na mesa e sem dar explicações a ninguém. Uma sogra, profundamente abalada porque a nora se mudou com o maridinho para uma casa própria, continuará polida, mas haverá tensões subterrâneas. Durante anos a fio, nunca será amistosa e nunca se abrirá com a nora, e, quando estiver falando com o filho, não perderá a oportunidade de criticá-la sutilmente e desmerecê-la – eis aí a sua vingança não falada.

As pessoas no estado negativo de *Willow* são como um vulcão que está sempre fumegando, lançando de si nuvens de fumaça corrosiva, mas nunca explode.

A nora faz as compras para a sogra reumática, e lava-lhe as cortinas, mas a isso não se dá valor, é coisa que não merece menção nem louvor. As pessoas do tipo *Willow* sabem muito bem fazer exigências, mas não estão preparadas para dar. Com o correr do tempo, isso acabará alienando todas as pessoas que inicialmente se mostravam amigas e dispostas a ajudá-las. Pouco a pouco, elas interromperão seus esforços e se afastarão.

O resultado é que o tipo crônico de *Willow* se vê, aos poucos, mais isolado e amargurado e, por seu turno, se afasta cada vez mais da vida. Talvez gostasse de ir jogar boliche no passado, mas agora vai com menos freqüência "porque o novo gerente foi muito desagradável". Antigo aficionado de teatro, agora prefere ficar em casa, "porque essas peças novas são muito superficiais ou muito negativas". De onde quer que você olhe para uma pessoa no estado negativo de *Willow*, terá pela frente o lado negativo da vida. Aqui está uma afirmação típica de um paciente de *Willow* a caminho da recuperação: "Estou me sentindo melhor, mas não tanto quanto pareço estar." Dir-se-ia que ele não quisesse deixar que sentimentos positivos lhe surgissem no coração e na mente.

Uma pessoa no estado de *Willow* é uma "vítima", e isso lhe fornece a desculpa perfeita para não aceitar a responsabilidade pelo próprio destino. Continuará a apontar com firmeza para o mundo exterior, recusando-se absolutamente a reconhecer, ou mesmo a considerar, qualquer conexão entre os acontecimentos exteriores e o seu estado interior.

Onde reside o erro no estado negativo de *Willow*? Reside, mais uma vez, na recusa da personalidade em aceitar a orientação da alma e do Eu Superior. A pessoa no estado de *Willow* não concorda com o resultado dessa orientação, pois não julga o sucesso na vida pela experiência interna, senão de acordo com critérios materiais. Dessa maneira, ela não foi capaz de manter a sua bela aparência, ele não recebeu o doutorado honorário, não conseguiu comprar aquela casa no campo — será isso, decerto, razão suficiente para deblaterar contra o Eu Superior e contra o destino? Infelizmente, tais rumores de decepção não são tudo o que há neste caso. A personalidade também tenta bloquear todas as possíveis tentativas de orientação do Eu Superior erguendo um "muro de pedra" negativo. Em lugar de trabalhar com o Eu Superior ela quer antes opor-lhe uma resistência passiva. Dessarte, não somente se prejudica a si mesma, como também envenena todo o ambiente, cometendo um crime contra o todo maior.

Alguém que se tenha enredado num persistente estado negativo de *Willow* precisará, primeiro que tudo, aprender a reconhecer e aceitar a própria amargura, a própria negatividade. Será sempre necessário, antes de mais nada, mudar a atitude para com o seu eu, para que alguma coisa possa ser alterada no exterior. A segunda coisa que é mister compreender é que cada pensamento rabugento acrescenta outra pedra de energia ao muro crescente da negatividade, de sorte que o sol pessoal do indivíduo se obscurece cada vez mais. Tudo o que experimentamos no exterior resulta da projeção para fora dos nossos pensamentos, e todo ser humano vive num mundo que, numa ou noutra época, pensou e criou para si. Quem quer que se sinta vítima acabará inevitavelmente, mais cedo ou mais tarde, como vítima.

Onde há muita sombra há também muita luz. Para sair do estado negativo de *Willow* é preciso que a pessoa se exercite deliberadamente em concentrar-se no lado positivo dos acontecimentos. Porque você pode cortar sempre novas mudas do salgueiro, ele não é somente símbolo de luto, senão também de conhecimento infinito e de sabedoria que nunca falha.

As pessoas no estado positivo de *Willow* compreendem que, em lugar de serem vítimas, são os arquitetos do próprio destino, e que a mente humana tem facilidades ilimitadas para trabalhar construtivamente por um futuro positivo. As pessoas, portanto, que superaram o estado negativo de *Willow* irradiam fé, calma e otimismo. Sabem que todos temos capacidade para ser donos do próprio destino.

É fácil cair num estado negativo de *Willow* no curso do desenvolvimento espiritual, num ponto em que a pessoa se tornou cônscia do muito que é negativo, mas a personalidade ainda não tem força suficiente para integrá-lo. O aborrecimento de si mesmo é então, primeiro que tudo, projetado para o mundo exterior, desenvolvem-se preconceitos poderosos, e há uma falta positiva de cooperação.

Diferença entre os sentimentos negativos de *Willow* e *Holly*:

Holly Dá imediata expressão à raiva, ao ódio, à desconfiança, etc., mais ativos e abertos, sentidos no interior.

Willow Mais passivo; os sentimentos negativos, virados para dentro, provocam amargura e o sentimento de que a pessoa é uma vítima. A cólera arde com fogo lento debaixo da superfície

Sintomas-chave do tipo Willow

Ressentimento não expresso, amargura, atitude de "pobre de mim" ou "vítima do destino".

Sintomas devidos ao bloqueio da energia

- Atitude amargurada, ressente-se do destino e sente-se tratado injustamente pela vida.
- Não se sente responsável por suas desventuras, e sempre põe a culpa nas cicunstâncias ou nos outros.
- Na sua opinião, o destino não reconhece nada do que a pessoa deu à vida.
- Abre mão de muitas coisas que costumava apreciar, afastando-se, ressentido, cada vez mais da vida.
- Faz exigências à vida, mas não está preparado para retribuir.
- Aceita ajuda dos outros como coisa com que podia contar mas, no correr do tempo, aliena todo aquele que tentou ser útil a ele.
- Acentua sempre o aspecto negativo das coisas, surgindo freqüentemente como um desmancha-prazeres ou um chato.
- Taciturno, sorumbático, susceptível.

- No íntimo, dói-se do destino melhor, da boa sorte ou da saúde dos outros.
- Nos casos extremos até tentará pôr, e porá, um abafador no estado de espírito alegre e no otimismo dos outros.
- Pensamentos maldosos, devidos à amargura que sente no coração.
- Cólera que arde como fogo lento, não expressa, e que não explode.
- Recusa-se mentalmente a aceitar a própria negatividade, de modo que nada pode mudar.
- Não gosta de admitir que se sente melhor quando se recupera de uma enfermidade.

Transformação potencial posterior

- Atitude basicamente positiva, assumindo plena responsabilidade pelo próprio destino.
- Reconhece e aceita a conexão entre os próprios pensamentos e os acontecimentos externos.
- Sabe que existe uma lei chamada "Assim fora como dentro" e que a pessoa, portanto, pode atrair acontecimentos positivos ou negativos; faz uso consciente desse princípio.
- Em lugar de "vítima" passa a ser "dono" do próprio destino.

Medidas de apoio

- Pondere na lei da causa e efeito, no conceito do carma.
- Procure atividades em que a responsabilidade é essencial e trará reconhecimento e amor, como, por exemplo, trabalhar com crianças.
- Procure a companhia de pessoas não perturbadas, alegres; junte-se, por exemplo, a um coro ou a um grupo de música.
- Procure passatempos criativos, que permitam a expressão de si mesmo e proporcionem um sentimento de realização.
- Faça terapias naturais derivativas, como o jejum e a drenagem da linfa.

Afirmações positivas para praticar

"Estou pensando, fazendo e realizando coisas positivas."
"Penso ver cada vez mais o modo com que a lei de causa e efeito se aplica à vida cotidiana."
"Estou-me limpando de todos os resíduos negativos."
"Sou o dono do meu destino."

RESCUE

Gotas de "Primeiros Socorros" ou de "Emergência"

Embora não seja um remédio em si mesmo, *Rescue* é o mais amplamente conhecido de todos os Remédios Florais do Dr. Bach. Já salvou um sem-número de vidas em situações de emergência, enquanto se espera o atendimento médico. *Rescue* não substitui o tratamento médico. Ajuda, todavia, a prevenir ou superar rapidamente o trauma energético que, de outro modo, teria sérias conseqüências físicas. Nesse contexto, tudo o que nos esvazia de energia recebe o nome de trauma energético – o súbito bater de uma porta, más notícias, ou um acidente que envolva perda de consciência. Em tais condições, a consciência, ou os elementos sutis do nosso corpo, tende a apartar-se do corpo físico e, desse modo, não é capaz de iniciar o processo de cura de si mesmo.

Rescue impede a desintegração do sistema energético, ou o faz voltar logo ao normal. O processo curativo pode, então, começar imediatamente.

É, portanto, importante ter *Rescue* na caixa de remédios da casa, ou na caixa de primeiros socorros do carro, de modo que possa ser tomado imediatamente antes da ocorrência de um trauma energético, que seria de esperar, ou imediatamente depois. Os componentes de *Rescue* são:

Star of Bethlehem	Para "trauma" e entorpecimento.
Rock Rose	Para terror e pânico.
Impatiens	Para irritabilidade e tensão.
Cherry Plum	Para o medo de perder o controle.
Clematis	Para a tendência a "desmaiar" e a sensação de estar "muito longe", que freqüentemente precedem a inconsciência.

O frasco de estoque de *Rescue* contém as cinco flores já misturadas. Se *Rescue* não tiver de ser combinado com outras Flores, será considerado um remédio.

Em caso de acidente ou de doença súbita, *Rescue* ajuda não somente as "vítimas" mas também os circunstantes e os que lhe prestam assistência. A vítima, inconscientemente, se sentirá muito mais tranqüila à conta da sensação de que as pessoas ao seu redor estão calmas, senhoras de si, confiantes. Isto ajudará o processo de recuperação.

Em seguida se enumeram algumas das muitas ocasiões em que *Rescue* se revela útil na vida de todos os dias:

- Quando estamos com a mente em polvorosa, como, por exemplo, depois de uma briga de família, ao receber uma carta desagradável, ou após haverem as crianças assistido a cenas de violência na televisão.
- Para acontecimentos iminentes, como ir ao dentista, acompanhar os procedimentos do divórcio, fazer uma entrevista para um emprego, fazer o exame de trânsito, submeter-se a uma operação.
- Se a pessoa tiver de trabalhar numa atmosfera de tensão permanente, como, por exemplo, um tribunal de justiça, um hospital de pronto-socorro, uma firma de leiloeiros.

Rescue, porém, não deve tornar-se uma forma rotineira de medicação. É indicado como expediente de primeiros socorros em maiores ou menores emergências emocionais, mas, evidentemente, não serve de compensação a um estilo de vida que ameace destruir a personalidade através da falta de bom senso.

Rescue é feito para aumentar a força de todos os outros Remédios Florais, ajuntando-se 4 gotas do frasco de estoque a um frasco de remédio de 30 ml.

A dosagem variará de acordo com as circunstâncias.

Em casos agudos, acrescentam-se quatro gotas do frasco de estoque a um copo de água. A água é tomada aos sorvos até a sensação de choque se atenuar. Depois disso, ministra-se um golezinho cada 15, 30 ou 60 minutos.

Se não houver água nem outra bebida disponível, *Rescue* pode ser dado não-diluído, diretamente do frasco de estoque.

Se o paciente estiver inconsciente, ponha o *Rescue* tirado do frasco de remédio, ou, se for preciso, também do frasco de estoque, sobre os lábios, as gengivas, as têmporas, a nuca, atrás das orelhas, ou sobre os pulsos.

Se *Rescue* tiver de ser administrado durante certo período de tempo, dão-se quatro gotas, quatro vezes por dia, tiradas do frasco de remédio.

Rescue também se usa externamente, em compressas, emplastros, etc.; tiram-se, mais ou menos, 6 gotas do frasco de remédio e acrescentam-se a um quartilho de água.

Para queimaduras, picadas, inchaços ou pancadas usa-se na forma concentrada, diretamente da garrafa de estoque.

Rescue também se prepara como creme, livre de gordura animal, para todos os problemas externos. Pode ser útil em massagens, antes da aplicação do óleo lubrificante, e usado como aplicação precautória à pele no lugar em que se cria atrito – ou seja, antes de correr, de jogar tênis, etc., a fim impedir o aparecimento de ulcerações ou bolhas.

Para o tratamento de animais: adicionam-se quatro gotas do frasco de remédio à água para beber, ou ao leite, ou borrifam-se sobre a comida.

Para animais grandes, 10 gotas por balde de água ou, se for mais conveniente, algumas gotas sobre um cubo de açúcar. Muitas vezes, remédios indicados para as circunstâncias podem ser incluídos, se houver necessidade.

Outra utilidade de *Rescue* se registra nas ocasiões em que as plantas sofrem um choque – depois da transplantação para um novo vaso, depois do replante ao ar livre, após a exposição à geada ou a pragas. Misturam-se dez gotas do frasco de remédio a um galão de água. Rega-se a planta normalmente com essa água, pelo menos por dois ou três dias, ou borrifam-se as folhas.

Os usos possíveis de *Rescue* são praticamente ilimitados, como se pode inferir dos três históricos de casos descritos em seguida:

1. Em tempo de guerra, um fuzileiro naval que servia em subma-

rinos e sempre parecia calmo e relaxado, perdeu todos os fios de cabelo da cabeça e todos os pêlos do corpo. Nenhum tratamento médico se mostrou eficaz. Presumiu-se que a perda dos cabelos e dos pêlos se devia ao medo reprimido, ao trauma a ao susto, e, portanto, lhe deram *Rescue*, para tomar pela boca e aplicar como "tônico capilar". Depois de algumas semanas, a sua calva voltou a cobrir-se, mais uma vez, de fios curtos de cabelo.

2. Uma jovem que participava das atividades de um campo de meditação cortou três quartas partes da ponta de um dedo quando preparava vegetais. O corte sangrou profusamente e não havia nenhum médico imediatamente à mão. Deram-lhe umas gotas de *Rescue* diluídas em água, de tantos em tantos minutos, como medida de primeiros-socorros, e colocou-se uma bandagem de pressão a fim de estancar a hemorragia. Quando o sangramento cessou, aplicou-se, cautelosamente, um Creme de *Rescue* às superfícies feridas, e o dedo e a respectiva ponta se mantiveram unidos com um curativo. O curativo era trocado de duas em duas horas. Volvidos apenas 15 minutos, a moça já não sentia dor, mas apenas uma leve pulsação no dedo. Trocou-se o curativo a intervalos regulares durante todo o dia seguinte. No terceiro dia já não havia necessidade de pensos, pois o ferimento se fechara e, manifestamente, sarava depressa. No quinto dia, a ferida se havia curado de todo. Somente uma linha fina indicava a localização do corte.

3. Uma menininha de 16 meses puxou uma toalha de mesa para o chão. O chá, que acabara de ser feito, causou-lhe severas queimaduras na cabeça e em todo o lado direito do corpo, e ela teve de ser hospitalizada. A mãe lhe deu *Rescue* imediatamente, e também o tomou. O resultado foi que ambas chegaram relativamente calmas ao hospital. Quando viram a extensão das queimaduras, os médicos entenderam não poder oferecer muitas esperanças. Naquele dia, e durante todo o dia seguinte, a mãe tratou as queimaduras com Creme de *Rescue*. Os médicos não a impediram, mesmo porque, além de aliviar a dor, não havia nada que pudessem fazer naquele ponto. Ao termo do segundo dia, os sintomas físicos tinham desaparecido em grande parte. As áreas queimadas da pele já não estavam quentes, e também não havia mais dor. Uma pele nova e sadia surgiu no terceiro dia – sem nenhum tecido cicatricial. A criança recebeu alta do hospital no quinto dia – "uma cura milagrosa".

Capítulo 5
OS REMÉDIOS NA PRÁTICA

A. Como Preparar os Remédios, Frascos e Dosagens

Preparação: Os Remédios Florais são fornecidos em forma concentrada pelo *Bach Centre*, em frascos de estoque que durarão indefinidamente. É preciso diluí-los, antes de usá-los, numa mistura de cerca de três partes de água por uma parte de álcool. Edward Bach utilizava água de fontes naturais. Hoje ainda se usa água de fonte natural em frascos provenientes de restaurantes naturalistas e supermercados. Sendo água morta, a água destilada não é adequada como veículo.

Utiliza-se o álcool apenas como conservante, mas é essencial, sobretudo nas temperaturas de verão, quando a água tende a estragar-se depressa, e também quando as gotas devem ser tomadas por um período mais longo de tempo. Quando se toma uma combinação de Remédios Florais apenas durante alguns dias, a conservação no álcool não é necessária. Edward Bach usava conhaque. Podem usar-se também formas similares de álcool, tão puras quanto possível, ou vinagre de sidra para as pessoas que não bebem álcool.

A diluição padrão para a medicação oral é de 2 gotas de cada frasco de estoque escolhido num frasco de remédio de 30 ml; enchem-se três quartos do frasco de água natural de fonte, e sobre ela se deita uma colherada de conhaque ou de vinagre de sidra como conservante. Em seguida, sacode-se bem a mistura antes de usá-la pela primeira vez.

Os frascos de vidro marrom com conta-gotas são muito indicados. Encontram-se nas farmácias.

Dosagem: Tome quantas vezes forem precisas, mas, pelo menos, quatro gotas quatro vezes por dia – de manhã quando se levanta, com o estômago vazio antes do almoço, com o estômago vazio lá pelas 5 horas da tarde, e antes de se deitar. As gotas podem ser acrescentadas à mamadeira ou tomadas com uma colher de água. O melhor método, porém, é colocá-las diretamente sobre a língua ou debaixo dela, com o conta-gotas. Para se obter o efeito pleno, devem conservar-se na boca por um momento antes de engoli-las.

É preciso tomar cuidado para não deixar o conta-gotas entrar em contato com a língua, pois as enzimas digestivas podem transferir-se da língua para a mistura no frasco. Isto afetaria o gosto, se bem não afetasse a eficácia dos remédios. Em situações agudas, podem ministrar-se doses mais freqüentes, como, por exemplo, quatro gotas de 10 em 10 ou de 30 em 30 minutos, até se manifestarem sinais de melhoria.

Outra forma alternativa importante de dosagem, sobretudo em estados agudos: deite 2 gotas de cada frasco de estoque escolhido num copo de água, de suco de frutas, ou de qualquer bebida, e sorva a mistura freqüentemente. Volte a encher o copo para continuar o tratamento, se houver necessidade.

B. Outras Aplicações que não Sejam Via Oral

Compressas. Bach prescrevia compressas, além da medicação oral, em casos de lesões externas, erupções da pele e inflamação. Acrescentam-se 6 gotas do frasco de estoque a meio litro de água.

Banhos. Muitos profissionais que usam o método de Bach são adeptos entusiastas de banhos que contenham Remédios Florais, como, por exemplo, *Olive* e *Hornbeam* para exaustão. Adicionam-se, mais ou menos, cinco gotas do frasco de estoque a um banho inteiro.

C. Perguntas Amiúde Formuladas

1ª Pergunta: Quanto tempo demora normalmente uma sessão com um terapeuta adepto dos métodos de Bach?

Resposta. Não existe regra nenhuma, pois cada qual trabalha de maneira muito individual com as Flores do Dr. Bach, alguns mais depressa, outros mais devagar.

Certo número de especialistas que empregam uma abordagem semelhante têm afirmado que, em sua experiência, a primeira sessão, quando se faz realmente mister chegar ao fundo das coisas, costuma demorar de 60 a 90 minutos. As sessões seguintes demoram, de ordinário, de 40 a 60 minutos.

2ª pergunta. Qual é o momento certo de mudar para outra combinação de Flores?

Resposta. Tudo depende da natureza do problema, mas, normalmente, nunca antes de esvaziar-se o frasco de tratamento, o que leva de 3 a 4 semanas. Se a combinação de flores ainda estiver fazendo efeito, prepare a mesma combinação pela segunda vez e continue a usá-la até que todos os sintomas tenham desaparecido. (Neste caso, toma-se a mesma combinação durante 8 semanas ou até mais.)

Se surgir, enquanto a pessoa está tomando a combinação inicial, nova condição singular, bastará acrescentar o Remédio Floral indicado à combinação inicial. Depois, talvez seja necessário fazer uma reavaliação, ou continuar com a combinação modificada, ou encontrar nova combinação, de acordo com os estados de espírito no momento.

3ª pergunta. Por quantas semanas ou meses deve continuar normalmente o tratamento?

Resposta. Mais uma vez é impossível dar uma resposta padrão. Isso depende dos problemas envolvidos, da idade e do caráter da pessoa submetida ao tratamento. Em condições agudas, como, por exemplo, no caso do trauma energético que se segue a uma perda ou ao medo de uma mudança importante, as Flores do Dr. Bach, muitas vezes, ajudarão num prazo de poucas horas ou dias, particularmente as pessoas mais jovens.

Falando de um modo geral, podemos dizer que o tratamento usado profilaticamente, antes que o problema deite raízes, promoverá logo o ajustamento, mas por quanto mais tempo se permitir que uma condição se desenvolva e assuma o domínio da situação, tanto mais tempo será necessário para a ocorrência de mudanças positivas. De acordo com a experiência, os períodos de tempo oscilam entre 1 e 20 meses.

Nota: Existem estados de espírito de curto prazo (a saber, nervosismo ao prestar-se um exame) quando não é preciso preparar um frasco de tratamento, porque a combinação é necessária a um tempo muito mais curto – uma semana, um dia ou umas poucas horas. Em tais casos, pode-se misturar as gotas num copo de água e sorver a mistura a intervalos.

As pessoas que tomam os Remédios Florais do Dr. Bach, sobretudo para o desenvolvimento e a purificação pessoais, continuam a tomá-los, a intervalos, durante anos.

4ª pergunta. Quantos Remédios Florais do Dr. Bach podem ser tomados ao mesmo tempo?

Resposta. De acordo com o *Bach Centre*, um máximo de seis ou sete. O princípio, contudo, não é "quanto mais, melhor", mas, antes, "o menos é o mais".

De maneira semelhante ao que ocorre na homeopatia clássica, o impulso energético de uma única flor exercerá um efeito mais profundo do que seis impulsos diferentes de uma vez só. O Remédio simples, corretamente escolhido, mais apropriado ao problema em tela, fará também, geralmente, desaparecerem muitos sintomas menores que possam estar presentes.

Por outro lado, mostrou a experiência que estados emocionais severos podem requerer, temporariamente, mais que um ou dois Remédios, e até mais do que seis.

Capítulo 6
EXPERIÊNCIAS NO TRATAMENTO

Os pormenores adiante apresentados devem ser vistos como rigorosamente relacionados com o atual estado da experiência, pois os tempos mudam. Isso se aplica em particular a quaisquer números dados.

A. Reações Diferentes

As reações à primeira dose de um Remédio Floral do Dr. Bach variam tanto quanto os indivíduos que a tomam.

Em pessoas muito sensíveis, o contato estabelecido entre a Essência da Flor e o Eu Superior torna-se aparente em poucos segundos: os olhos ficam mais suaves, e até mais "cheios de alma". Muitas vezes, um suspiro profundo indicará um alívio instantâneo no nível da energia.

As pessoas que normalmente enfrentam suas experiências de maneira dramática também reagirão dramaticamente aos Remédios Florais, por exemplo, com mudanças acentuadas do estado de espírito, ou com sonhos cheios de atividade.

Afirmam algumas pessoas que tiveram, de improviso, idéias que nunca tinham tido anteriormente. Outras são capazes de tomar, todos os dias, decisões que, poucas semanas antes, não teriam julgado possíveis. Outras ainda não notam nada de especial para começar, mas verificam, algumas semanas ou meses mais tarde, que se tornaram mais abertas, estáveis, felizes, "mais elas mesmas".

As pessoas abertas e interessadas pelo mundo não-físico responderão mais depressa aos Remédios Florais do que as outras que, por princípio, se recusam a aceitar tais idéias, inconscientemente desejosas de silenciar a voz do Eu Superior, a saber, as pessoas inclinadas a suprimir seus problemas.

Outras, em especial as que sofrem de moléstias crônicas, responderão, por via de regra, menos rapidamente aos Remédios Florais do Dr. Bach, pois se estabilizaram nas estruturas da sua psique.

As que apresentam condições congênitas ou "incuráveis" também dão uma resposta. O novo contato da alma, que se cria, conduzirá, consciente ou inconscientemente, a uma nova atitude diante da moléstia, assumindo a forma de maior tranqüilidade, paz de espírito e emanações mais positivas. Muitos pacientes hospitalizados, em suas fases terminais, puderam viver os últimos dias com menos dor, com dignidade e com um sentimento de maior harmonia, graças à grande bênção dos Remédios Florais do Dr. Bach

B. Sobre o Tema dos Efeitos Colaterais

As Flores do Dr. Bach são puras e harmoniosas freqüências de energia, que nunca terão efeitos colaterais. Entretanto, pode acontecer, em alguns casos, uma resposta denominada "agravação", semelhante à agravação conhecida na homeopatia, quando os sintomas se intensificam temporariamente.

O que quer dizer que o paciente pode sentir-se pior por um curto lapso de tempo. Há uma boa razão para isso. Imagine-se uma parte, adormecida ou paralisada por algum tempo, que subitamente se enche de vida outra vez. Um pensamento doloroso, suprimido durante anos, aflora, de improviso, à consciência. Toda expansão da consciência provocará, inevitavelmente, uma reação no inconsciente. Na naturopatia também se experimenta uma crise curativa em conjunção com as toxinas que estão sendo expelidas do corpo. O mesmo acontece no nível da alma e do espírito quando se tomam as Flores do Dr. Bach.

Uma coisa, entretanto, é certa. O que sobe do inconsciente nunca será mais do que o que somos capazes de enfrentar no momento. É impossível induzir crises curativas artificiais com os Remédios Florais do Dr. Bach, pois a energia das Flores simplesmente apóia o Eu Superior, o Médico Interior, que sempre guia tudo em nosso melhor interesse.

C. Malogro Aparente

Nas Cartas Informativas do Dr. Bach, J. Evans, especialista de grande experiência nos Remédios Florais do Dr. Bach, escreveu que pode acontecer que o terapeuta e o cliente percam a coragem, parecendo-lhe que os Remédios Florais não estão provocando nenhuma resposta verdadeira. Pode ser até que o paciente descontinue o tratamento por obra da sua decepção e nós não podemos atinar com a razão disso.

Quando se verifica um malogro aparente dessa natureza, não devemos sentir-nos demasiado desanimados, porque grande número de fatores precisa ser levado em consideração.

A Doença como Oportunidade de Aprender

Uma doença física serve amiúde para indicar que a pessoa precisa de um descanso ou, pelo menos, de reduzir drasticamente as suas atividades. Pode ser até necessário mudar o estilo de vida da pessoa. Essa mudança nunca chegaria a fazer-se sem a doença. Se a doença desaparecesse prematuramente, com o uso de um Remédio Floral, todo o seu propósito teria sido desfeito.

O Momento Errado

Outra razão pode ser que parte da lição que deve ser aprendida com a experiência da doença ainda não o tenha sido, e que a doença deva continuar por mais algum tempo, a fim de oferecer nova oportunidade de aprender. Quando, mais tarde, no momento certo, se retoma o tratamento, os Remédios Florais surtirão o efeito desejado, muitas vezes num tempo surpreendentemente curto.

O Paciente quer "Conservar" a Doença

Existem pacientes que, mercê de uma insatisfação interior ou de um tédio patológico, continuam voltando a apresentar novos sintomas de incômodos menores, como, por exemplo, dores de cabeça, cansaço, dores indefinidas, dor ocasional, etc. Insistem em tomar os Remédios Florais do Dr. Bach, dizendo: "Sei que eles me farão bem." É justamente o que acontece, até aparecer a crise seguinte de insatisfação, e o "tratamento" ter de ser recomeçado.

Esses não são pacientes recompensadores, pois estão de tal forma apegados à doença que a trarão inconscientemente de volta uma e muitas vezes.

Pode, com efeito, acontecer que as pessoas não queiram livrar-se da doença, que lhes faculta exercerem poder sobre os outros, evitar responsabilidades ou despertar simpatias. É provável que já tenham experimentado muitos tratamentos diferentes, e "nenhum deles ajudou de verdade" – o que provavelmente também será o caso com os Remédios Florais.

A razão é que eles, com efeito, não podem passar sem os seus sintomas, pois estes lhes são úteis.

Rejeição Deliberada

Algumas pessoas, no fundo, não permitem que os Remédios Florais do Dr. Bach as ajudem, porque simplesmente não querem acreditar que eles podem ajudar. Tal é o caso, por exemplo, de pacientes persuadidos por parentes, contra a sua vontade. Como não estão esperando efeitos benéficos, e, na verdade, no íntimo, esperam, freqüentemente, que não haja efeito algum, erguem deliberadamente um bloqueio que impossibilita as forças curativas de alcançá-los.

Falta de Paciência

Outras não dão tempo suficiente aos Remédios Florais do Dr. Bach de agir. Exceto quando vêem resultados imediatos e manifestos, consideram todo o tratamento um fiasco. Não levam em consideração o fato de que algumas enfermidades, tendo-se desenvolvido durante longo período de tempo, também precisam de tempo para ser debeladas, passo a passo, o que pode, na verdade, requerer um tempo considerável. Elas desistem com demasiada presteza, quando uma paciência maior teria sido um êxito.

Existem inúmeras razões e circunstâncias conducentes à enfermidade. Espera-se que a consideração acima de diferentes aspectos do processo curativo nos ajude a compreender que não foram as Flores do Dr. Bach que falharam, senão que a nossa compreensão de tantos fatores ocultos ainda é incompleta.

D. As Flores de Bach em Conjunção com Outras Formas de Tratamento

Como já foi dito, os Remédios Florais do Dr. Bach agirão harmoniosamente junto com outras formas de tratamento, em particular todas as capituladas pela medicina holística.

A combinação entre a psicoterapia e a Terapia do Dr. Bach, em geral, tende a ser muito produtiva. Os psicoterapeutas descrevem o modo com que a psicoterapia, em combinação com a terapia do Dr. Bach, é acelerada. Atinge-se o ponto essencial mais depressa, e as questões de interesse secundário, que ameaçam atrapalhar as coisas, são resolvidas com maior facilidade.

As pessoas não ajustadas ao tratamento ajustam-se amiúde após um período de terapia de Flores do Dr. Bach.

Até nos casos ditos perdidos, as Flores do Dr. Bach proporcionam alívio, tornando o paciente mais tranqüilo e mais dócil.

O tempo necessário ao tratamento ortodoxo de condições psicossomáticas pode ser consideravelmente abreviado se a terapia do Dr. Bach for ministrada ao mesmo tempo. No tratamento de condições crônicas, a terapia do Dr. Bach tem chegado com freqüência ao ponto crucial dos acontecimentos, porque o paciente terá ganho a percepção intuitiva das causas assentadas mais profundamente.

Os Remédios Florais do Dr. Bach são compatíveis com qualquer outra forma de tratamento, incluindo elevadas potências homeopáticas e drogas psicotrópicas. Intensifica-se a ação das primeiras. As últimas, de ordinário, são gradativamente descontinuadas por solicitação do próprio paciente.

E. Terapia das Flores do Dr. Bach na Gravidez, para Bebês e Crianças

No capítulo 5 do seu livro *Heal Thyself* (C. W. Daniel), Edward Bach discute a verdadeira natureza das relações entre pais e filhos. Toda a pessoa que lida com crianças deveria repetir-lhe as palavras muitas e muitas vezes.

Vistas à sua luz verdadeira, a paternidade e a maternidade são um dos maiores privilégios que nos foram concedidos por Deus. A maternidade e a paternidade possibilitam a uma jovem alma a assunção de um corpo físico neste planeta, para atingir o desenvolvimento. Também proporcionam a essa alma toda a orientação espiritual, mental e física nos primeiros anos. A psicologia moderna reconhece agora que a maioria das desordens mentais têm origem nos primeiros sete anos, e, acima de tudo, no primeiro ano de vida. É evidente que muitos problemas, que se manifestam mais tarde na vida, podem ser evitados se se deixar a criança crescer com os Remédios Florais do Dr. Bach desde o primeiro dia. Esse primeiro dia está incluído no período de gravidez.

Gravidez. Criando harmonia para a mãe grávida, a terapia das Flores do Dr. Bach também beneficia a criança, como tudo o mais que representa beleza e harmonia durante esse período. Tem havido casos de mulheres propensas ao aborto, que chegaram ao termo da gravidez depois de tomarem os Remédios Florais do Dr. Bach.

O método de diagnóstico não difere dos métodos usados em outras épocas da vida. Mostrou a experiência, no entanto, que os estados de espírito se alteram mais depressa na gravidez, e que padrões de comportamento dos quais supúnhamos haver, há muito tempo, aberto mão, reaparecem de repente com renovada intensidade.

Muitas mulheres jovens sentem-se ansiosas à medida que se vão aproximando do fim da gravidez, e começam a sofrer de considerável tensão. Em tais casos, *Mimulus* pode ser experimentado, ou *Rock Rose* em casos extremos, e até *Impatiens* e *Vervain*. Muitas mulheres que tomaram *Rescue* alguns dias antes de dar à luz tiveram um parto fácil, recuperando-se rapidamente da tensão.

Uma parteira, que utiliza as Flores do Dr. Bach com grande sucesso, em Ibiza, descreve-lhes o efeito durante os trabalhos de parto, classificando-os de rápidos e dramáticos. Damos, a seguir, um exemplo:

Uma mulher de 28 anos, em boas condições de saúde, de temperamento igual, foi muito bem até o princípio da segunda fase. Esta continuou por 90 minutos, quando a jovem, de chofre, pareceu perder toda a energia e a confiança em si mesma. Deram-lhe *Aspen*, *Mimulus*, *Rock Rose*, *Hornbeam* e *Oak*, umas poucas gotas depois de cada contração. Após a primeira dose, registrou-se completa mudança em sua expressão facial. Ela estava agora preparada para mudar de posição, e, logo em seguida, sentiu a iminência do parto.

Todo parto, ainda que normal, representa um choque energético, tanto para a mãe quanto para o bebê. *Star of Bethlehem* ajudará os dois. A mãe que começou a tomar *Rescue* alguns dias antes de entrar em trabalhos de parto, deve continuar a tomá-lo por alguns dias após haver dado à luz. Nesse caso, naturalmente, prescindirá de *Star of Bethlehem*.

Bebês. Uma pergunta que nos fazem com freqüência é como descobrir o Remédio Floral do Dr. Bach certo para bebês, os quais, naturalmente, nada poderão dizer-nos sobre o seu estado de espírito. Na realidade, é mais fácil do que se imagina, pois os bebês mostram com muita franqueza os seus sentimentos.

Há, por exemplo, o bebê de *Agrimony*, sempre alegre, que só chora quando há alguma coisa seriamente errada. O bebê de *Chicory* mostrará imediatamente que não está satisfeito quando a pessoa que lhe serve de referência se atreve a voltar a atenção para outra coisa. Um bebê que se mostra ansioso e irritado com todos e com tudo geralmente responde bem a *Mimulus*. Outro tipo é o bebê de *Clematis*, que parece viver num mundo próprio. Dorme muito e revela pouco interesse até pelas refeições.

Quando se fizer o diagnóstico de um infante, os Remédios tomados pelos pais, e, em particular, pela mãe, devem também ser levados em consideração. Existem poderosos vínculos energéticos nesse estágio da vida, e algumas Flores nas combinações usadas para a mãe e para a criança tendem a ser idênticas.

Outro reparo interessante relacionado com o diagnóstico de infantes é o seguinte:

Frascos de estoque de todos os Remédios que se cuidavam adequados ao caso foram colocados, um depois do outro, no berço de um bebê sensível. Quando o frasco continha a Flor de que ele precisava, o bebê gorgolejava e sorria, ao passo que reagia aos demais com lamúrias ou outros sinais de rejeição.

A dosagem é normalmente a mesma para bebês e adultos, visto que é totalmente impossível ministrar uma superdose dos Remédios do Dr. Bach. Quatro gotas do frasco de remédio são adicionadas à alimentação do bebê quatro vezes por dia. As mães que amamentam tomam também o Remédio. As gotas do frasco de estoque terão sido, neste caso, naturalmente, diluídas apenas em água.

Se o bebê não mostrar absolutamente nenhuma resposta no início, o estado de espírito dos pais servirá de guia. Se os pais estão receando o pior, por exemplo, tanto a eles quanto ao filho se administra *Rock Rose*. Depois da visita do médico, o quadro estará mais claro, mas se ainda houver ansiedade, o indicado será *Mimulus*. Se o estado do bebê melhorar a ponto de recomeçar a exibir reações pessoais, impaciência por exemplo, o tratamento seguinte será inteiramente baseado nas reações emocionais da criança. No caso acima, o indicado agora seria *Impatiens*.

Crianças. As crianças, não raro, respondem melhor e mais depressa aos Remédios Florais do Dr. Bach do que os adultos, visto que os seus padrões de comportamento ainda não foram estabelecidos na mesma extensão, e a resistência mental está mais ou menos ausente. Elas não refletem muito, e desejam apenas uma coisa – sentir-se bem outra vez o mais depressa possível.

As crianças, por via de regra, não têm nenhuma dificuldade em descobrir a Flor de que precisam entre os trinta e oito frascos de estoque, nem permitem que outros os desviem da sua escolha. Diz-se a miúdo que as crianças, de seu moto próprio, lembrarão ao pais o momento de tomar as gotas outra vez. Como os infantes, as crianças não devem tomar um número excessivo de Flores ao mesmo tempo. Freqüentemente, precisarão de doses menores, e os intervalos de tempo em que se muda para um Remédio Floral diferente tendem a ser mais curtos.

Dificilmente haverá alguma coisa mais impressionante e compensadora do que ver a maneira com que as crianças reagem, de forma única e individual, enquanto o canal que conduz à alma ainda não foi bloqueado pela "seriedade da vida". Nunca se acentuará em demasia a importância de usar os Remédios Florais do Dr. Bach para ajudar crianças, sobretudo na idade em que elas ainda não estão abertas aos argumentos lógicos. Elas serão capazes de passar pelas vicissitudes e decepções inevitáveis da vida sem sofrer um dano permanente feito à sua mente e à sua alma.

O dito "é melhor prevenir que remediar" aplica-se, com efeito, neste caso. Dessarte, se a jovem Cathy, ágil e mentalmente desperta, volta, um dia, da escola inusitadamente cansada, monossilábica e distraída, e parece estar-se "sentindo mal por alguma coisa", o melhor não é deixá-la nesse estado, senão dar-lhe algumas gotas de *Clematis* e observar-lhe a volta do estado de ausência ao estado normal. Provavelmente os sintomas não precisarão degenerar numa doença física; mas, se isso acontecer, a doença será de duração mais curta e de caráter mais brando do que nos colegas.

Os Remédios Florais têm-se constituído numa tremenda ajuda para muitas crianças com problemas escolares, como ilustra o caso seguinte:

Um menino de oito anos, muito atrasado na escola, não acompanhava os outros em nenhum sentido. Introvertido e desinteressado durante as lições, o seu comportamento em relação aos colegas de classe era pouco sociável, arrogante e imprevisível. Chegava a atacar fisicamente os companheiros e os professores. A escola, por fim, comunicou aos pais que ele já não podia ser tolerado na classe e precisava ser transferido para uma escola especial. A terapia do Dr. Bach foi a última tentativa.

O terapeuta observou o menino por algum tempo. Notou que ele gostava de jogar xadrez sozinho e estava sempre três ou quatro movimentos à frente em sua cabeça. Deu-lhe *Chestnut Bud* para o fraco desempenho como estudante, que se devia, na realidade, à dinâmica mental poderosa demais. Ministrou-lhe *Impatiens* pela mesma razão, como também pelo comportamento anti-social em relação aos iguais, e, finalmente, *Mimulus* para a atitude geralmente recolhida. O menino tomou a combinação durante duas semanas. O desempenho na escola, o interesse pelas lições e a participação nas atividades da classe foram além das expectativas. Mas ele ainda era bruto com os outros, tinha pesadelos e andava durante o sono. Acrescentaram-se, portanto, *Holly* e *Aspen* à medicação. Depois de mais duas semanas, o garoto deixou de mostrar-se agressivo, começou a fazer amizades, e passou a dormir à noite sem dificuldade.

F. Terapia Floral de Bach para os Animais

Os animais, muitas vezes, reagem ainda mais rapidamente às Flores do Dr. Bach do que os humanos. O tratamento é de curtíssima duração, quase sempre de três a dez dias.

Faz-se o diagnóstico do mesmo modo que no caso dos humanos, pois a meta consiste em descobrir o estado de espírito do animal. Um cachorro do tipo *Heather*, por exemplo, gosta de ser o centro das atenções e está sempre latindo. Os cães do tipo *Chicory*, constantemente nos calcanhares dos donos, exigem atenção. Os gatos, com freqüência, são tipos *Water Violet*. *Mimulus* ajudará os gatos nervosos. Como mãe e filho, "dono e cão" precisarão também, muitas vezes, dos mesmos Remédios Florais do Dr. Bach.

Rescue salvou a vida de muitos animais em condições agudas, como acidentes, mordidas, fraturas, inchaços e vômitos persistentes.

Adicionam-se quatro gotas do frasco de estoque à comida ou colocam-se diretamente na boca. Compressas feitas de seis gotas tiradas do frasco de estoque, e diluídas em meio litro de água, são úteis no tratamento de muitos ferimentos. Se for necessário, as gotas podem ser aplicadas diretamente do frasco nas partes feridas.

Aqui está um histórico de caso divertido, encontrado nos arquivos do *Bach Centre*:

Um imenso cão São Bernardo era extremamente sensível ao som de tiros de espingarda. Isso não teria sido um problema muito grande se ele não vivesse no campo, numa área em que eram freqüentes as caçadas. Adicionou-se *Mimulus* à água que ele bebia, a fim de tratar do medo aos barulhos, e foram excelentes os resultados. Verificou-se, contudo, um curioso efeito colateral. Dois camundongos viviam na casa. Saíam à noite para forragear, e, nesse processo, entraram em contato com a água de beber do cachorro. Alguns dias depois, os camundongos apareceram, de repente, em plena luz do dia, sem nenhum medo, e todas as tentativas feitas para enxotá-los deram em nada. A dona do cachorro relatou que pôde chegar a uma distância de alguns centímetros dos camundongos e gritar com toda a força. Em resposta, o camundongo girou sobre si mesmo, olhou para ela calmamente, pegou sem pressa uma migalha de pão e afastou-se trotando. Esse efeito divertido deveu-se provavelmente ao haverem os camundongos "perdido as inibições" depois de tomar um pouco do *Mimulus* e do álcool usado para conservar o Remédio Floral.

G. Terapia de Bach para as Plantas

Há já algum tempo, e, decerto, desde que Tompkins escreveu o seu livro *The Secret Life of Plants* [A vida secreta das plantas], sabe-se que as plantas também sofrem em conseqüência de um choque, de medo, de abatimento, de indecisão, etc. Acontecimentos como a transferência de uma vaso para outro, a murchidão, ou uma queda de certa altura, serão enfrentados com maior facilidade se se ministrarem Remédios Florais. Em regra geral, *Rescue* deve ser usado como remédio básico, acrescido de outros que se ajustem ao caso. Por exemplo, plantas infestadas de insetos se recobrarão com *Crab Apple* e *Agrimony*, este último para o desconforto, que elas são incapazes de expressar. *Hornbeam* empresta novas energias a plantas cansadas, doentes ou murchas.

Os que usam os Remédios do Dr. Bach e os jardineiros particulares transmitiram as três combinações seguintes. Dez gotas do frasco de estoque de cada um são acrescentadas a um grande regador:

Combinação para o crescimento
Vine   Ajuda a rebentar a casca dura da semente.
Hornbeam Fornece energia adicional para o esforço do crescimento.
Olive   Supera a exaustão causada pela germinação e pelo crescimento.

Combinação de jardim
Crab Apple Para pestes de todos os gêneros.
Walnut   Para a transição entre uma fase de crescimento e a seguinte.
Rescue   Para todos os fatores ambientais.

Combinação para as flores cortadas
Walnut   Para a mudança de ambiente.
Wild Rose Para cabeças que pendem, apáticas, sobretudo no inverno.
Rescue   Para todos os fatores ambientais.

Capítulo 7
QUESTIONÁRIO COMPACTO PARA AUTODETERMINAÇÃO DA COMBINAÇÃO DE ESSÊNCIAS FLORAIS DO DR. BACH, APROPRIADA PARA VOCÊ.

QUESTIONÁRIO COMPACTO PARA AUTODETERMINAÇÃO DA COMBINAÇÃO DE ESSÊNCIAS FLORAIS DO DR. BACH, APROPRIADA PARA VOCÊ.

Este questionário serve para todos os que se interessam pela terapia com os remédios florais do dr. Bach. Ele representa uma ajuda para se compreender melhor as atuais atitudes individuais erradas e para se descobrir a combinação floral específica que manterá ou restaurará o equilíbrio da alma. Atitudes incorretas e as conseqüentes mudanças negativas no temperamento fazem parte da natureza humana, e suas causas são devidas a falhas de caráter. Trabalhar para superar essas falhas, eliminando assim as perturbações psicossomáticas que acarretam é uma da metas propostas pela terapia floral do dr. Bach.

Mesmo que você seja inexperiente no trato com as essências florais, o questionário a seguir, junto com este e os demais livros de Mechthild Scheffer, o tornará bastante compreensível; entretanto, ele não exclui uma conversa detalhada com um perito experiente, um médico ou terapeuta. Responder corretamente a esse questionário, bastante curto, logo chamará a sua atenção para as suas possíveis atitudes anímicas falhas e lhe indicará as essências destinadas especificamente à re-harmonização significativa das mesmas. Assim que tiver descoberto as flores apropriadas para o seu caso, consulte o 5º capítulo para maiores informações e, se tiver à mão o livro de Scheffer, *A Terapia floral do Dr. Bach – Teoria e prática*, consulte-o também. Em seguida, decida se, de fato, precisa de todas as flores que escolheu nesse exato momento.

Como usar este questionário

Cada uma das 38 essências florais de Bach estão classificadas neste questionário associadas a uma ou mais perguntas. Assinale a sua resposta com uma cruz no espaço para isso destinado. Como várias das afirmações podem ser verdadeiras, tanto a longo como a curto prazo, sempre há três respostas possíveis:

"Sim, é exatamente isso o que ocorre comigo ultimamente."
Aqui se incluem os estados conflitantes da alma que o perturbam no momento; por exemplo, nos três últimos dias. Não importa se esse estado também faz parte essencial do seu caráter típico. Muitas vezes pode ocorrer perturbação do seu equilíbrio espiritual devido a circunstâncias externas, como, por exemplo, "uma nova situação no emprego", ou "mudanças súbitas na vida particular". Nesta resposta só se enquadram estados de alma conflitantes temporários.

"Sim, é exatamente isso o que ocorre ultimamente – e acho que essa é minha atitude típica."
Assinale esta opção sempre que o estado a que se refere a pergunta ocorrer, não só agora mas sempre em sua vida, sendo nativo de constante perturbação. Pode tratar-se de idéias negativas ou de atitudes inapropriadas de alma que você terá de eliminar a fim de liberar o potencial energético positivo subjacente. Mas só assinale esta resposta quando o estado mencionado for de fato agudo neste momento. Se esse não for o caso, poderá reservar a flor escolhida para outra combinação posterior.

"Não, não é isso o que ocorre comigo ultimamente."
Se a afirmação nada tem que ver com você nesses últimos dias, marque com uma cruz o espaço destinado à resposta.

Você deve responder a todas as perguntas espontaneamente, sem pensar muito tempo sobre elas. Lembre-se de que não há perguntas certas ou erradas. De preferência, responda sozinho a este questionário. Se alguma das perguntas for difícil de responder, reserve-a para o fim, respondendo antes as outras. Antes de passar à avaliação das respostas, faça um pequeno intervalo para descansar!
Agora transfira as cruzes que assinalou para a tabela de avaliação. Na hora de transferir, preste atenção ao número correto da pergunta! As cruzes que assinalou no espaço referente à afirmação – "Não, não é isso o que ocorre comigo ultimamente" – são eliminadas por não serem mais necessárias para a determinação das essências florais de Bach a serem usadas.
Por favor, responda depressa e espontaneamente. Só assinale com uma cruz o que estiver de fato ocorrendo com você nos últimos dias.

(Se o fato ocorrer com você muitas vezes nos últimos dias ou agora, mas seu estado ainda não for agudo, responda à pergunta com um "não".)

"Não, não é isso o que ocorre comigo ultimamente."	"Sim, é exatamente isso o que ocorre comigo ultimamente – e acho que essa é minha atitude típica."	"Sim, é exatamente isso o que ocorre comigo ultimamente."
1. Sente-se responsável pelos erros dos outros?		
2. Duvida da correção da sua própria opinião?		
3. Receia ser traído?		
4. Vive divagando, com o pensamento longe?		
5. Perde a calma por ninharias?		
6. Sente-se injustiçado pelo destino?		
7. Tem necessidade absoluta de impor sua vontade?		
8. Ao tentar concretizar suas metas, sente-se inseguro devido à opinião dos outros?		
9. Anda melancólico sem saber por quê?		

	"Não, não é isso o que ocorre comigo ultimamente."	"Sim, é exatamente isso o que ocorre comigo ultimamente – e acho que essa é minha atitude típica."	"Sim, é exatamente isso o que ocorre comigo ultimamente."
10. Sente-se inferior aos outros?			
11. Tem sido obrigado a suportar alguma situação desagradável?			
12. Está com medo de determinadas situações, de coisas ou de animais e gente?			
13. Tem dificuldade de dizer "não" nos últimos dias?			
14. Vive se lastimando por que as coisas não são mais as mesmas?			
15. Assumiu mais responsabilidades do que é capaz de atender?			
16. Sente-se apático?			
17. Acha difícil tomar uma decisão definitiva devido à versatilidade de suas idéias e planos?			
18. Sente-se impaciente?			
19. Gostaria de transformar em ação alguma decisão íntima?			
20. Anda se ocupando exclusivamente de si mesmo?			
21. Ainda não conseguiu se livrar espiritualmente de algum determinado capítulo da sua vida passada?			

	"Não, não é isso o que ocorre comigo ultimamente."	"Sim, é exatamente isso o que ocorre comigo ultimamente – e acho que essa é minha atitude típica."	"Sim, é exatamente isso o que ocorre comigo ultimamente."
22. Tenta distrair-se a fim de fugir de seus pensamentos e preocupações?			
23. Sente necessidade espiritual de alterar a situação (profissional ou privada)?			
24. Sente que vem enfrentando constantemente determinada dificuldade, quer pessoal quer profissional?			
25. Sente-se acossado constantemente por pensamentos indesejáveis?			
26. Sente-se extremamente cansado e acha que não há saída possível?			
27. Pressiona a si mesmo e aos outros por puro prazer?			
28. Deixou de sentir prazer pela vida?			
29. Não quer molestar os outros com seus problemas?			
30. Vive perturbado por acontecimentos e sentimentos dos quais não consegue se livrar?			
31. Sente que é difícil manter o equilíbrio espiritual?			
32. Acha que está momentaneamente desvitalizado e sem forças?			

"Não, não é isso o que ocorre comigo ultimamente."			
"Sim, é exatamente isso o que ocorre comigo ultimamente – e acho que essa é minha atitude típica."			
"Sim, é exatamente isso o que ocorre comigo ultimamente."			
	↓	↓	↓
33. No momento anda impondo a si mesmo determinadas regras ou princípios de vida?			
34. Acaso perdeu totalmente a esperança?			
35. Tem um vago sentimento de medo ou de perigo?			
36. Está com ciúme?			
37. Anda oscilando entre duas alternativas, sem chegar a uma decisão definitiva?			
38. Acha que só conseguirá resolver a situação atual por meio da estratégia ou usando determinadas táticas?			
39. Sente-se sem forças para enfrentar as situações do dia-a-dia?			
40. No momento, se vê obrigado a reprimir necessidades vitais?			
41. O bem-estar de um ente querido o anda preocupando?			
42. Anda se questionando por achar que deveria ter dado mais de si?			
43. Passou por certa situação que ainda não conseguiu assimilar fisicamente?			
44. Apesar de saber que não há motivos para tal, duvida da própria capacidade?			

"Não, não é isso o que ocorre comigo ultimamente."			
"Sim, é exatamente isso o que ocorre comigo ultimamente – e acho que essa é minha atitude típica."			
"Sim, é exatamente isso o que ocorre comigo ultimamente."			
	▼	▼	▼
45. Vive deprimido por que as coisas não aconteceram do modo que esperava?			
46. Sente rancor, ou melhor, raiva e uma antipatia quase incontrolável pelos outros?			
47. Anda cético ou pessimista demais?			
48. Sente uma necessidade imperiosa de reorganizar ou de limpar as coisas?			
49. Sente-se intimamente ferido por que não deram atenção aos seus conselhos bem-intencionados?			
50. Tem medo de perder o controle sobre seus sentimentos?			
51. Acha difícil tolerar os erros alheios?			
52. Não consegue começar as coisas por timidez ou medo?			
53. Tem sentido necessidade de colocar sua força de vontade à prova?			
54. Acha que ainda não cortou totalmente o cordão umbilical que o prende a uma pessoa muito próxima?			
55. Vê-se forçado a aceitar uma situação desagradável, tendo de fingir amizade?			
56. Tem medo ou pânico da situação que está vivendo?			

Tabela de avaliação

Número da pergunta	Sim, é exatamente isso o que ocorre comigo ultimamente	Sim, é exatamente isso o que ocorre comigo ultimamente e acho que essa é minha atitude típica	Concentrado de remédios florais de Bach
1			Pine
2			Cerato
3			Holly
4			Clematis
5			Crab Apple
6			Willow
7			Vine
8			Walnut
9			Mustard
10			Larch
11			Oak
12			Mimulus
13			Centaury
14			Honeysuckle
15			Elm
16			Wild Rose
17			Wild Oat
18			Impatiens
19			Walnut
20			Heather
21			Honeysuckle
22			Agrimony
23			Water Violet
24			Chestnut Bud
25			White Chestnut
26			Sweet Chestnut
27			Vervain
28			Wild Rose

Não, não é isso o que ocorre comigo ultimamente

Número da pergunta	Sim, é exatamente isso o que ocorre comigo ultimamente	Sim, é exatamente isso o que ocorre comigo ultimamente e acho que essa é minha atitude típica	Concentrado de remédios florais de Bach
29			Water Violet
30			Star of Bethlehem
31			Scleranthus
32			Olive
33			Rock Water
34			Gorse
35			Aspen
36			Holly
37			Scleranthus
38			Chicory
39			Hornbeam
40			Rock Water
41			Pine
42			Red Chestnut
43			Star of Bethlehem
44			Elm
45			Gentian
46			Holly
47			Gentian
48			Crab Apple
49			Chicory
50			Cherry Plum
51			Beech
52			Mimulus
53			Vervain
54			Red Chestnut
55			Agrimony
56			Rock Rose

Ao transferir suas marcas para a tabela de avaliação, tomou bastante cuidado?

Agora ficou fácil verificar as flores que de fato são importantes para você, visto que cada uma das perguntas apresenta a essência floral indicada na mesma linha. No momento, não importa se você colocou sua marca no espaço "importante a longo prazo", "importante a curto prazo" ou nos outros espaços.

Em seguida, leia o capítulo correspondente às flores que escolheu e veja se há informações mais precisas sobre situações e formas de comportamento que venham a ter importância a curto ou a longo prazo. Naturalmente, não é preciso que todos os sintomas atribuídos a determinada flor se manifestem em você para precisar dela. Muitas vezes bastam de 1 a 3 sintomas, desde que esses sejam *bastante* representativos do seu estado a ponto de justificar o uso dos remédios.

Se tiver certeza de que precisa de determinada flor, veja então onde está a cruz que assinalou para a pergunta.

1. Importante a curto prazo
("Sim, é exatamente isso o que ocorre comigo ultimamente.")

As flores que pertencem ao grupo que você escolheu podem ajudá-lo em situações agudas, a curto prazo.

Modo correto de usar: Pingar 2 gotas do frasco de estoque de cada remédio floral num copo de água e bebê-la aos poucos durante o dia. Continuar o tratamento durante as horas ou dias necessários para se comprovar que o estado agudo passou.

2. Importante a longo prazo
("Sim, é exatamente isso o que ocorre comigo ultimamente – e acho que essa é minha atitude típica.")

Aqui se trata de uma essência floral que você poderá usar regularmente nas próximas semanas e meses a fim de re-harmonizar um estado mental negativo que já existe há tempos, ou para introduzir novos padrões de comportamento.

Lembre-se de que, como acontece em todas as "curas de purificação", no início os sentimentos negativos parecem se intensificar.

Modo correto de usar: Misture as essências florais (de preferência no frasco destinado ao consumo descrito nos livros): 2 gotas de cada frasco de estoque numa garrafa de 30 ml misturadas em 3/4 de água mineral sem gás e 1/4 de conhaque ou vinagre de frutas para conservação. Dessa mistura, deve-se tomar ao menos 4 x 4 gotas por dia até constatar que não se precisa mais dela. Conforme o caso, isso pode levar de cerca de 4 semanas até 4 meses.

Observações Importantes

* Numa mistura destinada para uso a longo prazo, a rigor não se deveriam misturar mais do que 6 essências florais de cada vez.
* As essências florais usadas a curto prazo também podem ser tomadas simultaneamente no mesmo copo de água.
* Se no início tiver dificuldades para se decidir por 6 flores, pense em quais são mais necessárias agora. Você também pode combinar despreocupadamente mais de 6. Como todos os concentrados florais se harmonizam, no início é mais seguro colocar mais flores na mistura, do que arriscar estragar o efeito geral por deixar de incluir alguma das flores decisivas.
* Segundo informações do *Dr. Edward Bach Centre*, na Inglaterra, as essências florais podem ser usadas por pessoas de qualquer idade. Não existe o risco de dosagem excessiva. Nesses 60 anos também não foram constatados efeitos colaterais, mesmo no caso de escolha inadequada de essências. Com base nas experiências até agora conhecidas, a ingestão dos remédios florais do dr. Bach não é prejudicada pela ingestão simultânea de medicamentos alopáticos; ela também não interfere com o efeito dos medicamentos homeopáticos em forma altamente potencializada. Isso vale exclusivamente para o uso de remédios receitados pelo médico.

Leitura adicional

The Twelve Healers, Edward Bach, 1933; *Os Doze Remédios* em *Os Remédios Florais do Dr. Bach*, Editora Pensamento, São Paulo, 1990.

Heal Thyself: An Explanation of the Real Cause and Cure of Disease, Edward Bach, 1931; *Cura-te a Ti Mesmo – Uma Explicação sobre a Causa Real e a Cura das Doenças* em *Os Remédios Florais do Dr. Bach*, Editora Pensamento, São Paulo, 1990.

The Medical Discoveries of Edward Bach, Nora Weeks, 1940.

The Illustrated Handbook of the Bach Flower Remedies, Philip M. Chancellor, 1971; *Manual Ilustrado dos Remédios Florais do Dr. Bach*, Editora Pensamento São Paulo, 1991.

Introduction to the Benefits of the Bach Flower Remedies, Jane Evans, 1974.

The Bach Remedies Repertory, F. J. Wheeler, 1952; *Repertório dos Remédios Florais do Dr. Bach*, Editora Pensamento, São Paulo, 1990.

Dictionary of the Bach Flower Remedies, T. W. Hyne Jones, 1975; *Dicionário dos Remédios Florais do Dr. Bach*, Editora Pensamento, São Paulo, 1990.

A Guide to the Bach Flower Remedies, Julian Barnard, 1979; *Um Guia para os Remédios Florais do Dr. Bach*, Editora Pensamento, São Paulo, 1990.

Flowers to the Rescue, Gregory Vlamis, Thorsons, 1986.

A Astrologia e os Remédios Florais do Dr. Bach, Peter Damian; Ed. Pensamento, São Paulo, 1990.

Instituto de Terapia Floral de Bach
Pesquisa e Ensino
Mechthild Scheffer
Representante oficial do Dr. Edward Bach Centre, Inglaterra,
para a Alemanha, Áustria e Suíça

INGLATERRA
Institut für Bach-
Blütentherapie
Forschung und Lehre
Mechthild Scheffer

Mount Vernon, Sotwell,
Wallingford
Oxon OX 10 0PZ
Telefon 01491 834678
Dr. Edward Bach Centre,
England Office

ALEMANHA
Institut für Bach-
Blütentherapie
Forschung und Lehre
Mechthild Scheffer

Lippmannstrasse 57
D-22769 Hamburg
Telefon 040/43 25 77 10
Telefax 040/43 52 53
Dr. Edward Bach Centre,
German Office

ÁUSTRIA
Institut für Bach-
Blütentherapie
Forschung und Lehre
Mechthild Scheffer

Börsegasse 10
A-1010 Wien
Telefon 01/533 86 40-0
Telefax 01/533 86 40-15
Dr. Edward Bach Centre,
Austrian Office

SUÍÇA
Institut für Bach-
Blütentherapie
Forschung und Lehre
Mechthild Scheffer

Mainaustrasse 15
CH-8034 Zürich
Telefon 01/382 33 14
Telefax 01/382 33 19
Dr. Edward Bach Centre,
Swiss Office

•

Os escritórios dos Institutos oferecem assessoramento em todas as questões práticas e teóricas relativas aos concentrados originais dos Florais de Bach e à Terapia Floral de Bach, fornecendo livros, formulários e fitas cassete.
São os únicos autorizados a promover e acompanhar a divulgação apropriada da obra do dr. Edward Bach nesses países.
Eles organizam palestras e um programa oficial de aperfeiçoamento profissional, os "Seminários sobre os Florais Originais do dr. Bach".
A pedido, indicam terapeutas formados nesses seminários.

Impresso por :

gráfica e editora

Tel.:11 2769-9056